L'ESSENTIEL GRAMMATICAL

L'ESSENTIEL GRAMMATICAL

Normand St-Ours

guérin Montréal Toronto
4501, rue Drolet
Montréal (Québec) H2T 2G2 Canada
Tél.: (514) 842-3481
Téléc.: (514) 842-4923

Dépôt légal, 2e trimestre 1993

ISBN-2-7601-2583-1

Bibliothèque nationale du Québec
Bibliothèque nationale du Canada
IMPRIMÉ AU CANADA

Maquette de la page couverture: Julie Albert
Révision linguistique: Denise Sabourin

Table des matières

CHAPITRE 1
L'identification ou la nature des mots

Page

Le nom

■ DÉFINITION :

Le nom est un **mot qui sert *à nommer***

— une **personne**	Ex. : Martin, le directeur;
— un **animal**	Ex. : Milou, les souris;
— une **chose**	Ex. : la Place des Arts, le bureau.

N.B. — Selon que le nom commence par une lettre minuscule ou majuscule, on l'appelle **nom commun** ou **nom propre**.

■ MOYEN DE LE RECONNAÎTRE :

On peut mettre un article comme *le*, *la*, *l'*, *un*, *une* **devant le nom.**

Ex. : *Table* est un nom, car on peut dire *une* table, *la* table.

Soldat est un nom, car on peut dire *un* soldat, *le* soldat.

Bâtir n'est pas un nom, car on ne peut pas dire *un* bâtir, *le* bâtir.

N.B. — Quand on peut mettre *le* ou *un* devant un nom, celui-ci est du **genre masculin**; quand on peut mettre *la* ou *une* devant un nom, celui-ci est du **genre féminin**.

Le groupe nominal (GN)

■ DÉFINITION :

Le groupe nominal (groupe nom) est formé d'un nom et de tous les autres mots qui accompagnent ce nom.

Ex. : *Un beau* foulard *de laine.*

■ LES ÉLÉMENTS CONSTITUANTS DU GROUPE NOMINAL :

— un **déterminant** + un **nom.**

Ex. :

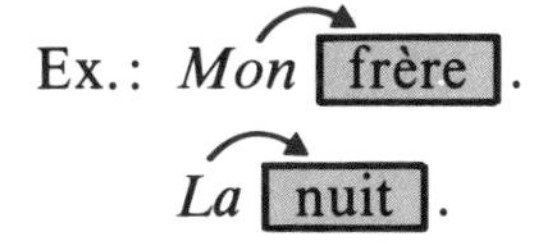

— un **déterminant** + un ou plusieurs **adjectifs** (avant ou après le nom) + un **nom.**

Ex. :

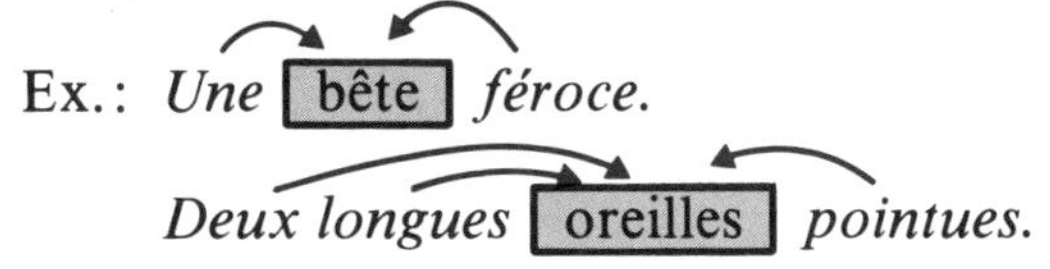

— un **déterminant** + un **nom** + un **complément du nom.**

Ex. :

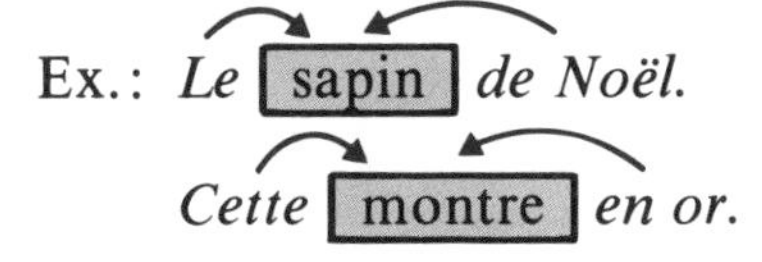

— un **déterminant** + un **nom** + un ou plusieurs **adjectifs** (avant ou après le nom) + un **complément du nom.**

Ex. :

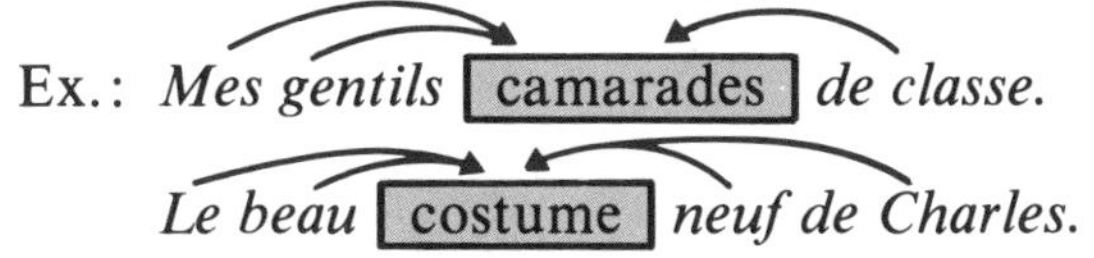

Remarque. — Dans un groupe nominal, les déterminants, les noms et les adjectifs se mettent tous au même genre et au même nombre.

Ex.: *Cett***e** *étudiant***e** *impoli***e**.
(Tous les éléments du GN sont au féminin singulier.)

*De***s** *beau***x** *yeu***x** *bleu***s**.
(Tous les éléments du GN sont au masculin pluriel.)

Le déterminant

■ DÉFINITION :

Le déterminant est un petit mot que l'on place **devant le nom** et qui donne certaines informations sur le genre et le nombre du nom qu'il accompagne.

Ex. : *Ce* garçon. (*Ce* accompagne un nom masculin singulier.)

Ma cravate. (*Ma* accompagne un nom féminin singulier.)

Deux sœurs. (*Deux* accompagne un nom pluriel.)

Certaines fleurs. (*Certaines* accompagne un nom féminin pluriel.)

■ MOYEN DE LE RECONNAÎTRE :

— **Il est placé devant un nom;**

— Généralement, **on peut le remplacer par** *le*, *la*, *les*, *l'*, *un*, *une*, *des*.

Ex. : *Ce* camion a renversé *deux* vieilles femmes.
(*Le* camion... *des* vieilles femmes.)

Mon ami abattra *quelques* arbres.
(*Un* ami... *les* arbres.)

■ SORTES DE DÉTERMINANTS :

— l'article,
— le déterminant possessif,
— le déterminant démonstratif,
— le déterminant numéral,
— le déterminant interrogatif et exclamatif,
— le déterminant indéfini.

L'article

■ DÉFINITION :

— L'article est un petit mot que l'on place **devant le nom** et qui donne certaines informations sur le genre et le nombre du nom qu'il accompagne;

— Il sert à désigner d'une façon précise ou indéterminée la personne, l'animal ou l'objet désigné par le nom.

Ex. : *Le* professeur (on désigne le professeur d'une façon précise).
Un professeur (on désigne le professeur d'une façon indéterminée).

■ TABLEAU DES ARTICLES :

SINGULIER			PLURIEL		
Masc.	**Fém.**	**Masc. ou fém.**	**Masc.**	**Fém.**	**Masc. ou fém.**
le[1]	la[1]	l'[2]			les
un	une				des
du au	de la	de l'			 aux

1. *Le* et *la* s'emploient devant un nom commençant par une **consonne** ou un **h aspiré**.

   Ex. : Le **c**hapeau; la **b**ête; le **h**ockey; la **h**anche.

2. *L'* s'emploie devant un nom commençant par une **voyelle** ou un **h muet**.

   Ex. : L'**é**cole; l'**a**nimal; l'**h**ôpital; l'**h**éroïne.

Ex.: Achète *du* pain et *des* légumes *au* marché.

J'offrirai *un* cadeau *aux* parents de Denise.

N.B. — *De* n'est pas un article, sauf quand il est suivi d'un adjectif qualificatif ou quand il est placé après un verbe à la forme négative.

Ex.: Elle a *de* **beaux** cheveux.

Je **n**'ai **pas** *de* félicitations à vous faire.

Le déterminant possessif

■ DÉFINITION :

— Le déterminant possessif est un petit mot que l'on place **devant le nom** et qui donne certaines informations sur le genre et le nombre du nom qu'il accompagne;

— Il sert à indiquer que la personne, l'animal ou l'objet désigné par le nom appartient à un être ou à une chose;

— La chose ou l'être à qui appartient la personne, l'animal ou l'objet (le possesseur) peut être singulier ou pluriel.

Ex. : *Mon* crayon = le crayon à moi (moi = possesseur singulier).

Nos voisins = les voisins à nous (nous = possesseur pluriel).

■ TABLEAU DES DÉTERMINANTS POSSESSIFS :

	SINGULIER			PLURIEL		
	Masc.	**Fém.**	**Masc. ou fém.**	**Masc.**	**Fém.**	**Masc. ou fém.**
Possesseur singulier	**mon**[1] (à moi)	**ma** (à moi)				**mes** (à moi)
	ton[1] (à toi)	**ta** (à toi)				**tes** (à toi)
	son[1] (à lui) (à elle)	**sa** (à lui) (à elle)				**ses** (à lui) (à elle)

suite →

1. *Mon, ton, son* s'emploient aussi devant les noms féminins commençant par une **voyelle** ou un **h muet**.

Ex. : Mon **a**rmoire, ton **é**tagère, son **h**orloge.

	SINGULIER			PLURIEL		
	Masc.	**Fém.**	**Masc. ou fém.**	**Masc.**	**Fém.**	**Masc. ou fém.**
Possesseur pluriel			**notre** (à nous)			**nos** (à nous)
			votre (à vous)			**vos** (à vous)
			leur (à eux) (à elles)			**leurs** (à eux) (à elles)

Ex. : *Tes* amis viendront-ils avec *leurs* enfants?

Ma fille et *son* mari demeurent dans *notre* maison.

Le déterminant démonstratif

■ DÉFINITION :

— Le déterminant démonstratif est un petit mot que l'on place **devant le nom** et qui donne certaines informations sur le genre et le nombre du nom qu'il accompagne;

— Il sert à montrer, à désigner la personne, l'animal ou l'objet dont il est question.

■ TABLEAU DES DÉTERMINANTS DÉMONSTRATIFS :

SINGULIER			PLURIEL		
Masc.	**Fém.**	**Masc. ou fém.**	**Masc.**	**Fém.**	**Masc. ou fém.**
ce[1]	cette				ces
cet[1]					

Ex. : *Ce* garçon et *cette* fille s'adorent.

Ne jetez pas *ces* notes.

---

1. *Ce* et *cet* s'emploient tous les deux devant un nom masculin singulier :

— *ce* : le nom commence par une **consonne** ou un **h aspiré**.

Ex. : Ce **b**outon, ce **h**angar.

— *cet* : le nom commence par une **voyelle** ou un **h muet**.

Ex. : Cet **a**nimal, cet **h**ôtel.

Le déterminant numéral

■ DÉFINITION :

— Le déterminant numéral est un mot que l'on place **devant le nom** et qui donne certaines informations sur le genre et le nombre du nom qu'il accompagne;

— Il sert à indiquer :

- **la quantité** : ce sont les nombres[1];

  Ex. : Un... trois... huit... dix-sept... cent...

- **l'ordre, le rang** : ce sont les nombres auxquels on ajoute le suffixe « ième » de même que *premier* et *dernier*.

  Ex. : Premier... cinquième... vingt-sixième... millième...

■ TABLEAU DES DÉTERMINANTS NUMÉRAUX :

SINGULIER			PLURIEL		
Masc.	**Fém.**	**Masc. ou fém.**	**Masc.**	**Fém.**	**Masc. ou fém.**
un	une				deux trois ... vingt-sept ...
premier dernier	première dernière		premiers derniers	premières dernières	

suite ⟶

1. *Millier*, *million* et *milliard* ne sont pas des déterminants numéraux mais des noms.

SINGULIER			PLURIEL		
Masc.	**Fém.**	**Masc. ou fém.**	**Masc.**	**Fém.**	**Masc. ou fém.**
		deuxième			deuxièmes
		troisième			troisièmes
		...			...
		vingt-septième			vingt-septièmes
		...			...

Remarques. — *Un* peut être **article** ou **déterminant numéral**. Il est déterminant seulement quand on veut insister sur l'idée de nombre.

Ex.: Je me suis acheté *deux* robes et *un* chapeau.

— Le déterminant numéral est souvent précédé d'un autre déterminant.

Ex.: Il est venu avec *ses deux* filles.

La première place lui revenait de droit.

Le déterminant interrogatif et exclamatif

■ DÉFINITION :

— Le déterminant **interrogatif** est un mot que l'on place **devant le nom** pour poser une question.

Ex. : *Quel* film aimeriez-vous regarder?

— Le déterminant **exclamatif** est un mot que l'on place **devant le nom** pour exprimer un sentiment d'admiration ou d'étonnement.

Ex. : *Quelle* personne formidable, cette Geneviève!

■ TABLEAU DES DÉTERMINANTS INTERROGATIFS ET EXCLAMATIFS :

SINGULIER			PLURIEL		
Masc.	**Fém.**	**Masc. ou fém.**	**Masc.**	**Fém.**	**Masc. ou fém.**
Quel	Quelle		Quels	Quelles	

N.B. — C'est la ponctuation placée à la fin de la phrase (? ou !) qui détermine si *quel* est un déterminant interrogatif ou exclamatif.

Ex. : *Quelles* cartes choisissez-vous?
(Déterminant interrogatif)

Quelle belle maison il a!
(Déterminant exclamatif)

Le déterminant indéfini

■ DÉFINITION :

— Le déterminant indéfini est un mot que l'on place **devant le nom** et qui donne certaines informations sur le genre et le nombre du nom qu'il accompagne;

— Il sert à désigner de façon vague, imprécise, pas très définie la personne, l'animal ou la chose dont on parle.

Ex. : *Plusieurs* enfants pleuraient.

J'ai répondu à *quelques* questions seulement.

■ TABLEAU DES PRINCIPAUX DÉTERMINANTS INDÉFINIS :

SINGULIER			PLURIEL		
Masc.	**Fém.**	**Masc. ou fém.**	**Masc.**	**Fém.**	**Masc. ou fém.**
aucun	aucune				
		autre			autres
certain	certaine		certains	certaines	
		chaque			
		même			mêmes
nul	nulle		nuls	nulles	
					plusieurs
		quelconque			quelconques
		quelque			quelques
tel	telle		tels	telles	
tout	toute		tous	toutes	

Tableau récapitulatif des déterminants

SORTES	SINGULIER			PLURIEL		
	Masc.	Fém.	Masc. ou fém.	Masc.	Fém.	Masc. ou fém.
Articles	le un du au	la une de la	l' de l'			les des aux
Déterminants possessifs	mon[1] ton[1] son[1]	ma ta sa	notre votre leur			mes tes ses nos vos leurs
Déterminants démonstratifs	ce[2] cet[2]	cette				ces

suite →

1. *Mon*, *ton*, *son* s'emploient aussi devant les noms féminins commençant par une **voyelle** ou un **h muet**.

   Ex. : Mon **a**mie, mon **h**istoire.

2. *Ce* s'emploie devant un nom masculin commençant par une **consonne** ou un **h aspiré**; *cet* s'emploie devant un nom masculin commençant par une **voyelle** ou un **h muet**.

SORTES	SINGULIER			PLURIEL		
	Masc.	Fém.	Masc. ou fém.	Masc.	Fém.	Masc. ou fém.
Déterminants numéraux	un	une				deux trois, etc.
	premier dernier	première dernière	deuxième troisième, etc.	premiers derniers	premières dernières	deuxièmes troisièmes, etc.
Déterminants interrogatifs et exclamatifs	quel	quelle		quels	quelles	
Déterminants indéfinis	aucun certain nul tel tout	aucune certaine nulle telle toute	autre chaque même quelconque quelque	certains nuls tels tous	certaines nulles telles toutes	autres mêmes plusieurs quelconques quelques

L'adjectif qualificatif

■ DÉFINITION :

L'adjectif qualificatif est un **mot que l'on place avant ou après le nom et qui dit comment est le nom.**

Ex. : Un tapis *résistant*. Comment est le tapis? *Résistant*.

De *longs* cheveux. Comment sont les cheveux? *Longs*.

N.B. — Souvent l'adjectif qualificatif est séparé du nom par le verbe être ou un verbe d'état.

Ex. : Ce tableau **est** *sale*.

La dame **paraissait** assez *âgée*.

■ MOYEN DE LE RECONNAÎTRE :

— **Poser la question** « *Comment est?* » **avant le nom.**

Ex. : Cet élève *intelligent* posait des questions *difficiles*.

Comment est l'élève? *Intelligent*.

Comment sont les questions? *Difficiles*.

— Quand l'adjectif qualificatif n'est pas séparé du nom auquel il se rapporte par le verbe être ou un verbe d'état, on peut l'enlever et la phrase a toujours du sens.

Ex. : Il a acheté une *belle* auto *neuve*.
(Il a acheté une auto.)

N.B. — Comme le pronom remplace le nom, l'adjectif qualificatif peut aussi se rapporter à un pronom.

Ex. : Elle était *heureuse* de revoir sa famille.

Le verbe

■ DÉFINITION :

Le verbe est le **mot qui**, dans la phrase, **indique ce qui se passe**, **ce qu'on fait**.

Ex. : Les étudiants *bavardent*. Qu'est-ce que les étudiants font? Ils *bavardent*.

Nous nous *promenons* dans les bois. Qu'est-ce que nous faisons dans les bois? Nous nous *promenons*.

■ MOYEN DE LE RECONNAÎTRE :

On peut le conjuguer, c'est-à-dire **qu'on peut mettre** *je*, *tu*, *il*, **devant le verbe**.

Ex. : *Manger* est un verbe, car on peut dire je mange, tu manges, etc.

Joli n'est pas un verbe, car on ne peut pas dire je jolis, tu jolis, etc.

N.B. — Le plus souvent, le verbe indique **une action**. Cependant, quelques verbes indiquent **un état**. Les principaux **verbes d'état** sont :

— être,

— paraître,

— sembler,

— demeurer,

— devenir,

— rester.

Le groupe verbal (GV)

■ DÉFINITION :

Le groupe verbal est l'ensemble des mots qui servent à indiquer l'action dans la phrase.

Ex. : Les enfants *jouaient* dans la neige.

La neige *est tombée* durant toute la soirée.

■ LES ÉLÉMENTS CONSTITUANTS DU GROUPE VERBAL :

— un **verbe seul**;

Ex. : Je *voudrais* te *remercier.*

Désires-tu *poursuivre* tes études?

— un **verbe accompagné des auxiliaires être ou avoir**.

Ex. : Nous *sommes arrivés* trop tard.

Avez-vous *terminé* vos leçons?

N.B. — Le verbe qui accompagne l'auxiliaire être ou avoir se nomme **participe passé**.

Le pronom

■ DÉFINITION :

Le pronom est un **mot qui remplace un nom ou un autre pronom.**

Ex. : Johanne ne pensait pas qu'*elle* pourrait venir.

Pierre a acheté une bague à son amie et *il la lui* a donnée à sa fête.

■ MOYEN DE LE RECONNAÎTRE :

— **Il remplace un nom ou un pronom** dont il est question précédemment;

— **On peut mettre un nom à sa place.**

Ex. : *On* appréciait davantage sa présence que *la mienne.*
(*Le professeur* appréciait... que *ma présence.*)

*J'*ai choisi *celles-ci.*
(*Pierre* a... *les fleurs.*)

■ SORTES DE PRONOMS :

— le pronom personnel,

— le pronom possessif,

— le pronom démonstratif,

— le pronom relatif,

— le pronom indéfini,

— le pronom interrogatif.

Les pronoms de la conjugaison

■ DÉFINITION :

Les pronoms de la conjugaison sont des pronoms qu'on emploie pour conjuguer le verbe.

■ TABLEAU DES PRONOMS DE LA CONJUGAISON :

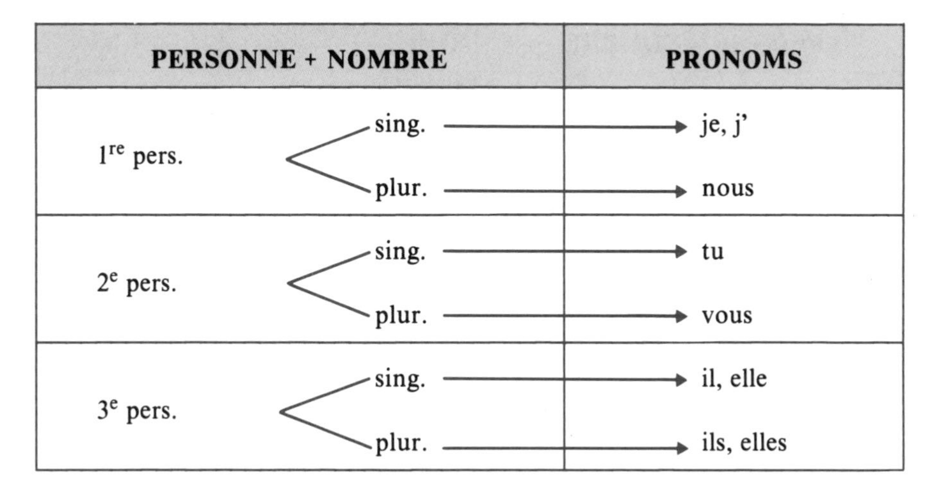

PERSONNE + NOMBRE		PRONOMS
1re pers.	sing. →	je, j'
	plur. →	nous
2e pers.	sing. →	tu
	plur. →	vous
3e pers.	sing. →	il, elle
	plur. →	ils, elles

Remarque. — À la troisième personne du singulier et du pluriel, *il*, *elle*, *ils*, *elles* **prennent le genre et le nombre du nom qu'ils remplacent**.

Ainsi, *il* remplace un nom masculin singulier.
elle remplace un nom féminin singulier.
ils remplace un nom masculin pluriel.
elles remplace un nom féminin pluriel.

N.B. — Dans certaines grammaires, on retrouve le pronom indéfini **on** parmi les pronoms de conjugaison à la 3e personne du singulier.

Le pronom personnel

■ DÉFINITION :

Le pronom personnel est un **mot qui remplace le nom** et **indique la personne**. Il peut être sujet ou complément du verbe.

■ TABLEAU DES PRONOMS PERSONNELS :

PERSONNE + NOMBRE		SUJET	COMPLÉMENT
1re pers.	sing. →	je, j'	me, m', moi
	plur. →	nous	nous
2e pers.	sing. →	tu	te, t', toi
	plur. →	vous	vous
3e pers.	sing. →	il, elle	lui, elle, se, s', soi, le, la, l', en, y
	plur. →	ils, elles	leur, elles, se, s', eux, les, en, y

N.B. — Généralement, *vous* indique la 2e personne du pluriel. Cependant, on peut l'employer à la place des pronoms *tu*, *te*, *toi* quand on s'adresse à une seule personne : c'est le **vous de politesse**.

Ex. : Monsieur le Ministre, *vous* êtes excellent.

Chers étudiants, *vous* êtes excellents.

— *Leur* **suivi d'un nom** est un déterminant possessif et il **s'accorde** avec ce nom ; **suivi d'un verbe**, il est pronom personnel et il **ne s'accorde jamais**.

Ex. : *Leur* (dét.) père est avocat. *Leurs* (dét.) parents divorceront.

Nous *leur* (pron.) donnerons vos vêtements.

— *Le*, *la*, *les*, *l'* **suivis d'un nom** sont des articles; **suivis d'un verbe**, ils sont des pronoms personnels.

Ex.: *Les* (dét.) chats, je *les* (pron.) déteste.

Le pronom possessif

■ DÉFINITION :

Le pronom possessif est un **mot qui remplace un déterminant possessif accompagné d'un nom.**

Ex. : Mon cadeau = *le mien*; tes robes = *les tiennes.*

N.B. — Les pronoms possessifs varient en genre et en nombre selon le nom qu'ils remplacent.

■ TABLEAU DES PRONOMS POSSESSIFS :

1re pers. (à moi)	**le mien** (mon + nom) **la mienne** (ma + nom) **les miens** (mes + nom masc.) **les miennes** (mes + nom fém.)	**1re pers.** (à nous)	**le nôtre** (notre + nom masc.) **la nôtre** (notre + nom fém.) **les nôtres** (nos + nom)
2e pers. (à toi)	**le tien** (ton + nom) **la tienne** (ta + nom) **les tiens** (tes + nom masc.) **les tiennes** (tes + nom fém.)	**2e pers.** (à vous)	**le vôtre** (votre + nom masc.) **la vôtre** (votre + nom fém.) **les vôtres** (vos + nom)

3e pers. (à lui) (à elle)	**le sien** (son + nom) **la sienne** (sa + nom) **les siens** (ses + nom masc.) **les siennes** (ses + nom fém.)	3e pers. (à eux) (à elles)	**le leur** (leur + nom masc.) **la leur** (leur + nom fém.) **les leurs** (leurs + nom)

N.B. — Ne pas confondre:
notre, votre = déterminant possessif;
le nôtre, la nôtre, les nôtres, le vôtre, la vôtre,
les vôtres = pronom possessif.

Le pronom démonstratif

■ DÉFINITION :

Le pronom démonstratif est un **mot qui remplace un déterminant démonstratif accompagné d'un nom.**

Ex. : Ce cheval-ci = *celui-ci*; ces pelles-là = *celles-là.*

N.B. — La plupart des pronoms démonstratifs varient en genre et en nombre selon le nom qu'ils remplacent.

■ TABLEAU DES PRONOMS DÉMONSTRATIFS :

GENRE ET NOMBRE	FORMES SIMPLES	FORMES RENFORCÉES[2]
Masculin singulier	celui, (ce, c', ceci, cela, ça)[1]	celui-ci, celui-là
Féminin singulier	celle	celle-ci, celle-là
Masculin pluriel	ceux	ceux-ci, ceux-là
Féminin pluriel	celles	celles-ci, celles-là

1. *Ce, c', ceci, cela, ça* sont du genre neutre. Leur accord se fait toujours au masculin singulier.

2. Les pronoms démonstratifs à forme renforcée qui finissent par *-ci* désignent ce qui est **le plus près**; ceux qui finisssent par *-là*, ce qui est **le plus loin**.

   Ex. : Observe ces deux plantes. *Celle-ci* ne te semble pas plus chétive que *celle-là*? (*Celle-ci* désigne la plante la plus près; *celle-là*, la plus éloignée.)

Le pronom indéfini

■ DÉFINITION :

Le pronom indéfini est un **mot qui remplace le nom d'une manière vague, imprécise, pas très définie**.

Ex. : *Certains* n'aiment pas la musique classique.
On a gagné le trophée.

■ TABLEAU DES PRINCIPAUX PRONOMS INDÉFINIS :

Masculin singulier	Féminin singulier	Masculin pluriel	Féminin pluriel	Masculin ou féminin pluriel
aucun	aucune			
		certains	certaines	
chacun	chacune			
l'un	l'une	les uns	les unes	
nul	nulle			
on				
personne				
				plusieurs
quelque chose				
quelqu'un	quelqu'une	quelques-uns	quelques-unes	
quiconque				
rien				

suite →

Masculin singulier	**Féminin singulier**	**Masculin pluriel**	**Féminin pluriel**	**Masculin ou féminin pluriel**
tout	toute	tous[1]	toutes	
un autre (l'autre)	une autre (l'autre)			des autres (les autres)

N.B. — Les pronoms indéfinis *aucun*, *nul*, *personne*, *rien* sont toujours accompagnés de l'adverbe de négation *ne* ou *n'*.

Ex.: *Personne* **ne** viendra à la réception.

Je **n'**y peux *rien*.

— *Aucun*, *certain*, *nul*, *tout*, *plusieurs*, *autre* **suivis d'un nom** sont des déterminants indéfinis; **non suivis d'un nom**, ils sont des pronoms indéfinis.

Ex.: *Plusieurs* (pron.) n'ont pas répondu à *toutes* (dét.) les questions.

1. Employé comme pronom indéfini, *tous* se prononce [tousse]; employé comme déterminant indéfini, *tous* se prononce [tou].

Le pronom relatif

■ DÉFINITION :

Le pronom relatif est un **mot qui remplace un nom ou un pronom placé devant** lui (l'antécédent) et qui **relie ce nom ou ce pronom à la proposition qui suit.**

Ex. : J'ai revu l'ami *que* tu m'avais présenté.
(*Que* remplace le nom *ami* et relie la proposition *tu m'avais présenté* au nom *ami.*)

C'est toi *qui* es arrivé le premier.
(*Qui* remplace le pronom *toi* et relie la proposition *es arrivé le premier* au pronom *toi.*)

■ TABLEAU DES PRONOMS RELATIFS :

GENRE ET NOMBRE	FORMES SIMPLES[1]	FORMES COMPOSÉES
Masculin singulier		lequel, auquel, duquel
Féminin singulier		laquelle, à laquelle, de laquelle
Masculin pluriel		lesquels, auxquels, desquels

suite →

1. Les formes simples du pronom relatif sont invariables, mais prennent le genre, le nombre et la personne de leur antécédent.

(3e pers. masc. plur.)
Ex. : Les enfants, *qui* jouaient dehors, ne voyaient pas le temps passer.

(3e pers. fém. sing.)
La fille *que* nous avons connue est orpheline.

(2e pers. masc. sing.)
C'est toi *qui* as reçu l'appel.

GENRE ET NOMBRE	FORMES SIMPLES	FORMES COMPOSÉES
Féminin pluriel		lesquelles, auxquelles, desquelles
Masculin ou féminin; singulier ou pluriel	qui, que[2], qu' quoi, dont, où	

N.B. — À l'exception de *dont* et *où*, les pronoms relatifs deviennent des **pronoms interrogatifs** quand ils servent à poser des questions.

Ex.: *Qui* me prêtera son livre?

Que buvez-vous?

Laquelle d'entre vous répondra?

2. *Que* peut être **pronom relatif** ou **conjonction**. Il est pronom relatif quand le mot placé devant lui est un nom ou un pronom; il est conjonction quand le mot placé devant lui est un verbe.

Ex.: J'aime le travail *que* je fais. (Pronom relatif)

J'aime *que* mon travail soit bien fait. (Conjonction)

Tableau récapitulatif des pronoms

Sortes	Masculin singulier	Féminin singulier	Masculin ou féminin singulier	Masculin pluriel	Féminin pluriel	Masculin ou féminin pluriel	Masculin ou féminin singulier ou pluriel
pronoms personnels	il, le	elle, la	je, me, moi tu, te, toi soi, lui, l'	ils, eux	elles	nous, vous les, leur	se, en, y
pronoms possessifs	le mien le tien le sien le nôtre le vôtre le leur	la mienne la tienne la sienne la nôtre la vôtre la leur		les miens les tiens les siens	les miennes les tiennes les siennes	les nôtres les vôtres les leurs	
pronoms démons-tratifs	celui celui-ci celui-là ce, ceci cela, ça	celle celle-ci celle-là		ceux ceux-ci ceux-là	celles celles-ci celles-là		
pronoms relatifs[1]	lequel auquel duquel	laquelle à laquelle de laquelle		lesquels auxquels desquels	lesquelles auxquelles desquelles		qui, que, quoi dont où

1. À l'exception de *dont* et *où*, les pronoms relatifs peuvent devenir des pronoms interrogatifs.

suite →

Sortes	Masculin singulier	Féminin singulier	Masculin ou féminin singulier	Masculin pluriel	Féminin pluriel	Masculin ou féminin pluriel	Masculin ou féminin singulier ou pluriel
pronoms indéfinis	aucun	aucune					
				certains	certaines		
	chacun	chacune					
	l'un	l'une		les uns	les unes		
	nul	nulle					
	on						
	personne						
						plusieurs	
	quelque chose						
	quelqu'un	quelqu'une		quelques-uns	quelques-unes		
	quiconque						
	rien						
	tout	toute		tous	toutes		
	un autre	une autre					
						des autres	
			l'autre			les autres	

Les mots invariables

■ DÉFINITION :

Les mots invariables sont ceux dont l'orthographe ne se modifie pas, ne change pas. Ils n'ont **ni genre ni nombre**.

Ex. : Elle travaillait *très lentement dans* son livre.

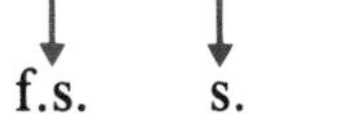

f.s. s. m.s. m.s.

■ MOYEN DE LES RECONNAÎTRE :

— **Changer le nombre des mots dans la phrase**. Les mots invariables sont ceux qui ne peuvent pas changer du singulier au pluriel ou du pluriel au singulier.

Ex. : L'élève utilise *rarement* des crayons bleus.

Les élèves utilisent *rarement* un crayon bleu.

Je fais *bien* mon travail.

Nous faisons *bien* nos travaux.

— **Procéder par identification des natures de mots**. Les mots invariables, ce sont tous les mots à part

— les noms,

— les déterminants,

— les adjectifs,

— les verbes,

— les pronoms.

Ex. : Je retournerai *bientôt chez* ma grand-mère maternelle.

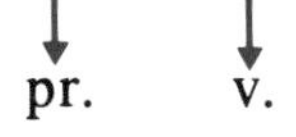

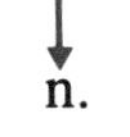

pr. v. dét. n. adj.

L'adverbe

■ DÉFINITION :

L'adverbe est un **mot invariable qui modifie**

— un **verbe**;

Ex.: Je travaille *lentement.*

— un **adjectif qualificatif**;

Ex.: Tu es *trop* lent.

— un autre **adverbe**.

Ex.: Je travaille *très* lentement.

■ MOYEN DE LE RECONNAÎTRE :

— **L'adverbe modifiant un verbe:**

- le plus souvent, il joue le rôle de **complément circonstanciel de lieu, de temps** ou **de manière**.

Ex.: Les enfants jouaient *dehors*. (c.c.l.)

Je l'ai vu *hier*. (c.c.t.)

Elle va *mieux* depuis son opération. (c.c.m.)

— **L'adverbe modifiant un adjectif qualificatif ou un autre adverbe:**

- le plus souvent, il ajoute une notion de **quantité** à l'adjectif ou à l'adverbe;
- **on peut le remplacer par** *très* **ou** *beaucoup*.

Ex.: Je cours *assez* vite. (Je cours *très* vite.)

Je suis *tout à fait* compétent. (Je suis *très* compétent.)

N.B. — On forme beaucoup d'adverbes en ajoutant le suffixe « **ment** » **au féminin d'un adjectif qualificatif**.

Ex.: Léger ⟶ légère ⟶ légèrement.
Joyeux ⟶ joyeuse ⟶ joyeusement.

— *Ne... pas*, *ne... plus*, *ne... jamais*, *etc.*, que l'on retrouve dans la forme négative du verbe, sont aussi des adverbes.

La préposition

■ DÉFINITION :

La préposition est un **mot invariable qui sert à introduire certaines sortes de compléments.**

Ex. : Le chat dort *sous* **la** **table** (c.c.l.).

Je me suis acheté une montre *en* **or** (c.n.).

■ MOYEN DE LA RECONNAÎTRE :

C'est **le premier mot** de la réponse que j'obtiens quand je pose les questions pour trouver les compléments suivants :

— **un complément d'objet indirect** (c.o.i.);

Ex. : Il a hérité *d'***une** **maison** (c.o.i.).
(Il a hérité de quoi? *D'*une maison.)

— **un complément du nom** (c.n.);

Ex. : J'ai reçu une paire *de* **skis** (c.n.).
(Une paire de quoi? *De* skis.)

— **un complément de l'adjectif** (c.a.);

Ex. : Je suis fier *de* **mes** **filles** (c.a.).
(Je suis fier de qui? *De* mes filles.)

— **un complément circonstanciel** (c.c.);

Ex. : Regardez *derrière* **le** **divan** (c.c.l.).
(Regardez où? *Derrière* le divan.)

c.c.t.
Il dormait *durant* **le** **cours**.
(Il dormait quand? *Durant* le cours.)

c.c.m.
Je voyage *en* **bicyclette**.
(Je voyage comment? *En* bicyclette.)

c.c.b.
Je lis *pour* **me** **détendre**.
(Je lis pourquoi? *Pour* me détendre.)

La conjonction

■ DÉFINITION :

La conjonction est un **mot invariable qui unit** soit :

— **deux mots** de même fonction;

S S
Ex. : **Marcelle** *et* **Yvon** s'épouseront la semaine prochaine.

c.c.l. c.c.l.
Préféreriez-vous vivre à **Montréal** *ou* à **Québec**?

— **deux groupes de mots** de même fonction;

GS GS
Ex. : **Les professeurs** *ainsi que* **les étudiants** participeront à la soirée.

GC GC
Boirez-vous **du thé glacé** *ou* **de la limonade**?

— **deux propositions;**

Ex. : **Elle est venue,** *puis* **elle est partie.**

Je partirai à la campagne *quand* **l'été arrivera.**

CHAPITRE 2
Le rôle ou la fonction des mots

Page

Le sujet du verbe

■ DÉFINITION :

— Le sujet est le **mot qui fait l'action** exprimée par le verbe;

— Il peut être une personne, un animal ou une chose.

Ex. : *Ginette* s'amuse.
(*Ginette* est la personne qui fait l'action de s'amuser.)

L'ours hiberne en hiver.
(L'*ours* est l'animal qui fait l'action d'hiberner.)

Le vent souffle fort.
(Le *vent* est la chose qui fait l'action de souffler fort.)

■ MOYEN DE LE RECONNAÎTRE :

Poser avant le verbe l'une des questions suivantes: « **Qui est-ce qui?** » pour les personnes et les animaux; « **Qu'est-ce qui?** » pour les choses.

Ex. : *Pierre* (S) travaille.
(Qui est-ce qui travaille?)

Le chien (S) aboie.
(Qui est-ce qui aboie?)

L'auto (S) roule.
(Qu'est-ce qui roule?)

■ PLACE DU SUJET DANS LA PHRASE :

Ordinairement, il se place **avant le verbe**, mais il peut arriver qu'il se trouve après.

S
Ex.: *Les* [*étoiles*] brillent dans la nuit.

S
Dans la nuit, brillent *les* [*étoiles*].

S
[*Elle*] partira à sept heures.

S
Partira-t-[*elle*] à sept heures?

Le groupe sujet (GS)

■ DÉFINITION :

Le groupe sujet est l'ensemble des mots qui servent de sujet au verbe.

Ex.: *Mes parents* (GS) sont partis en Europe.

Le ski, le patin et la raquette (GS) sont des sports d'hiver.

Certains romans d'aventures (GS) sont passionnants.

N.B. — Il ne faut pas confondre **groupe sujet** et **sujet**. Le sujet du verbe est **le mot** (le plus souvent un nom ou un pronom) qui répond à la fonction sujet dans une phrase.

Ex.: *Mon* [*professeur*] *d'histoire* était malade.

GS = Mon professeur d'histoire.
S = professeur.

Un [*chien*] *enragé* l'a mordu.

GS = Un chien enragé.
S = chien.

■ LES ÉLÉMENTS CONSTITUANTS DU GROUPE SUJET :

— un **nom** ou un **pronom**.

Ex.: *Ginette* chante.

Sortirons-*nous* ce soir?

— **plusieurs noms**.

Ex.: ***Martine*** *et* ***Luc*** sont au régime.

— un **groupe nominal.**

Ex.: *Cet oiseau* est blessé.

Mon petit frère dort.

L'ami de ma soeur est décédé.

— **plusieurs groupes nominaux.**

Ex.: ***Cette grand-mère*** *et* ***son fils*** attendaient l'autobus.

Le complément du verbe

■ DÉFINITION :

Le complément du verbe est un **mot qui vient compléter le verbe** en lui ajoutant de l'information.

Ex. : Pierre mange.

Pierre mange *une* *pizza*. (Mange quoi?)

Pierre mange *une* *pizza* *chez* *lui*. (Mange où?)

Pierre mange *une* *pizza* *chez* *lui* *tous les* *jours*. (Mange quand?)

■ MOYEN DE LE RECONNAÎTRE :

Poser après le verbe les questions suivantes :

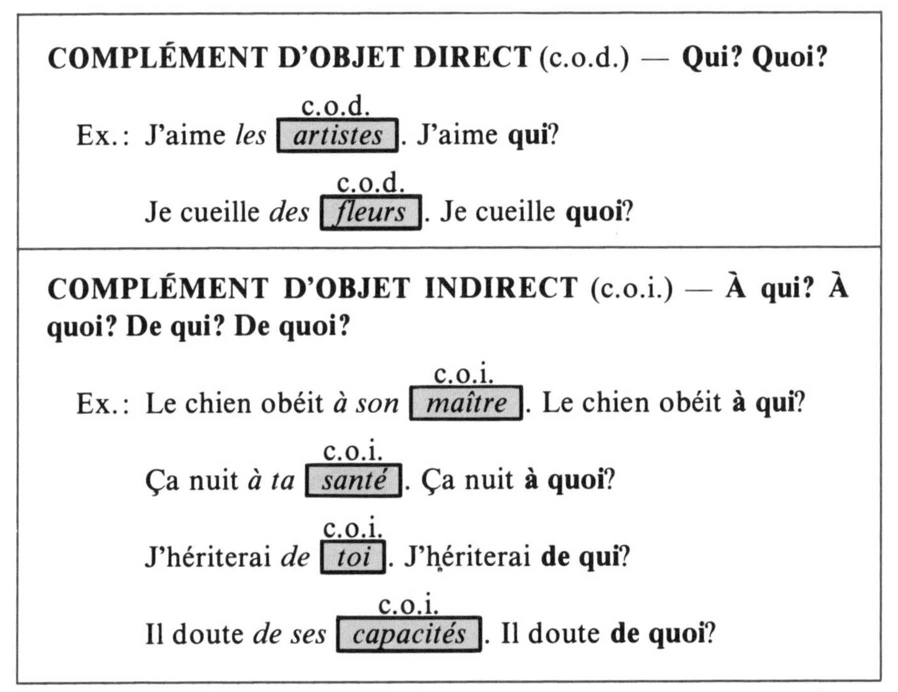

COMPLÉMENT D'OBJET DIRECT (c.o.d.) — **Qui? Quoi?**

c.o.d.
Ex. : J'aime *les* *artistes*. J'aime **qui**?

c.o.d.
Je cueille *des* *fleurs*. Je cueille **quoi**?

COMPLÉMENT D'OBJET INDIRECT (c.o.i.) — **À qui? À quoi? De qui? De quoi?**

c.o.i.
Ex. : Le chien obéit *à son* *maître*. Le chien obéit **à qui**?

c.o.i.
Ça nuit *à ta* *santé*. Ça nuit **à quoi**?

c.o.i.
J'hériterai *de* *toi*. J'hériterai **de qui**?

c.o.i.
Il doute *de ses* *capacités*. Il doute **de quoi**?

suite →

COMPLÉMENT CIRCONSTANCIEL (c.c.)[1] — **Où? Quand? Comment? Pourquoi?**

Ex.: Il va *en* [*ville*] (c.c.l.). Il va **où**?

J'arriverai *ce* [*soir*] (c.c.t.). J'arriverai **quand**?

Tu travailles [*bien*] (c.c.m.). Tu travailles **comment**?

J'étudie *pour* [*réussir*] (c.c.b.). J'étudie **pourquoi**?

---

1. Les principaux compléments circonstanciels sont:

— le complément circonstanciel de lieu (c.c.l.) — **Où?**

— le complément circonstanciel de temps (c.c.t.) — **Quand?**

— le complément circonstanciel de manière (c.c.m.) — **Comment?**

— le complément circonstanciel de but (c.c.b.) — **Pourquoi?**

Le groupe complément (GC)

■ DÉFINITION :

Le groupe complément du verbe est l'ensemble des mots qui servent de complément au verbe.

GC
Ex.: Nous avons visité *de nombreux pays.*

GC
Ont-ils travaillé *toute la journée*?

N.B. — Il ne faut pas confondre **groupe complément** et **complément**. Le complément du verbe est **le mot** (le plus souvent un nom ou un pronom) qui répond à la fonction complément dans une phrase.

c.o.d.
Ex.: Avez-vous vu *le dernier* *film* *de Depardieu*?

GC = le dernier film de Depardieu.
C = film.

c.c.l.
Ces astronautes sont allés *sur la* *Lune*.

GC = sur la Lune.
C = Lune.

■ LES ÉLÉMENTS CONSTITUANTS DU GROUPE COMPLÉMENT :

— un **nom** ou un **pronom**.

c.o.d.
Ex.: Il a épousé *Maryse*.

c.o.i.
Elle *lui* parlera.

— **plusieurs noms**.

c.o.d.
Ex.: Avez-vous invité ***Denise et Maryse***?

— un **groupe nominal.**

c.c.t.
Ex.: Tous les copains viendront *ce soir*.

c.o.d.
Quoi! tu as vendu *ta vieille automobile*!

— **plusieurs groupes nominaux.**

c.o.d.
Ex.: On avait invité seulement ***les parents*** *et* ***les amis les plus proches***.

Le complément du nom (CN)

■ DÉFINITION :

Le complément du nom est un **mot** (ou un groupe de mots) **qui vient compléter le sens du nom placé devant lui** en lui ajoutant une précision.

Ex. : J'ai participé à une partie *de* [*chasse*].
(*Chasse* vient compléter le nom « partie » en informant sur le genre de partie dont il est question : une partie *de chasse*.)

■ MOYEN DE LE RECONNAÎTRE :

— **la position des mots : deux noms qui se suivent** et, **entre les deux**, des mots comme ***à***, ***de***, ***d'***, ***des***, ***au***, ***aux***, ***en***, etc.

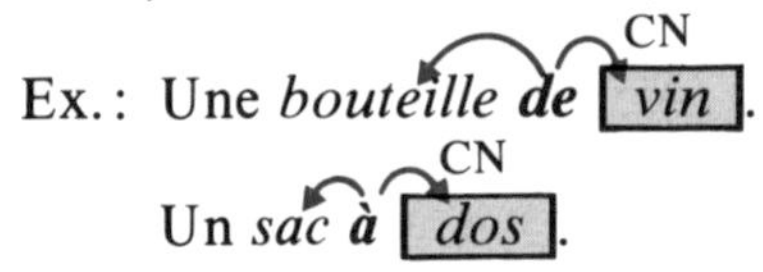

— **les questions suivantes :** ***à qui? à quoi? de qui? de quoi?*** **posées après le nom.**

Ex. : Le chandail *de* [*Marc*] (CN). (Le chandail de qui? De Marc.)

La cabane *à* [*sucre*] (CN). (La cabane à quoi? À sucre.)

N.B. — Un verbe à l'infinitif peut avoir une valeur nominale, c'est-à-dire qu'il peut avoir les mêmes fonctions qu'un nom.

Ex. : Un métier *à* [*tisser*] (CN)

Le complément de l'adjectif (CA)

■ DÉFINITION :

Le complément de l'adjectif est un **mot** (ou un groupe de mots) **qui vient compléter le sens d'un adjectif placé devant lui** en lui ajoutant une précision.

Ex. : Je suis fière *de ma* *réussite*.
(*Réussite* vient compléter l'adjectif « fière » en disant de quoi je suis fière : *de ma réussite.*)

■ MOYEN DE LE RECONNAÎTRE :

— **la position des mots : un adjectif suivi d'un nom ou d'un pronom** et, **entre les deux**, des mots comme ***à***, ***de***, ***d'***, ***des***, ***au***, ***aux***, etc.

Ex. : Un cœur *rempli* ***de*** *haine* (CA).

Il est *fou* ***de*** *toi* (CA).

— **les questions suivantes : *à qui? à quoi? de qui? de quoi?* posées après l'adjectif.**

Ex. : Un panier plein *de* *pommes* (CA). (Un panier plein de quoi? De pommes.)

Un mari épris *de sa* *femme* (CA). (Un mari épris de qui? De sa femme.)

N.B. — Un verbe à l'infinitif peut avoir une valeur nominale, c'est-à-dire qu'il peut avoir les mêmes fonctions qu'un nom.

Ex. : Un texte facile *à* *lire* (CA).

L'attribut du sujet

■ DÉFINITION :

L'attribut du sujet est un **mot qui dit comment est le sujet du verbe**.

Ex. : Les hivers sont *longs*.
(*Longs* dit comment est le sujet *hivers*.)

■ MOYEN DE LE RECONNAÎTRE :

— Le plus souvent, **c'est un adjectif qualificatif**[1] ;

— L'adjectif qualificatif attribut est toujours **séparé du sujet par le verbe être** ou **un verbe d'état** comme **paraître**, **sembler**, **demeurer**, **devenir**, **rester**, etc.

Ex. : Luc ***est*** *malade*.
(*Malade* = attribut du sujet *Luc*.)

Elle ***semblait*** *sincère*.
(*Sincère* = attribut du sujet *elle*.)

N.B. — Un **adjectif qualificatif** peut avoir deux fonctions possibles : attribut ou épithète.

— Il est **attribut** quand il est séparé du sujet par le verbe être ou un verbe d'état.

Ex. : Cette automobile ***est*** *rapide*.
(*Rapide* = attribut du sujet *automobile*.)

---

1. L'attribut du sujet peut être un nom, un pronom ou un verbe à l'infinitif quand ceux-ci répondent à la question *qui*? ou *quoi*? posée après le verbe être ou un verbe d'état.

Ex. : Francine ***est devenue*** *avocate*.

Il ***est*** *celui* qui a téléphoné.

Marcher n'***est*** pas *courir*.

— Il est **épithète** quand il n'est pas séparé du nom par le verbe être ou un verbe d'état.

Ex.: Cet athlète *talentueux* a remporté un *magnifique* trophée.
(*Talentueux* = adjectif épithète de *athlète*;
magnifique = adjectif épithète de *trophée*.)

Tableau récapitulatif des fonctions

Questions à poser	Où les poser	Fonctions obtenues	Exemples
Qui est-ce qui? Qu'est-ce qui?	Avant le verbe	Sujet (S)	S: *Paul* sourit. Qui est-ce qui sourit? *Le* S: *bois* brûle. Qu'est-ce qui brûle?
Qui? Quoi?	Après le verbe	Complément d'objet direct (c.o.d.)	Il aime c.o.d.: *Lucie*. Il aime qui? Il aime *le* c.o.d.: *raisin*. Il aime quoi?
À qui? À quoi? De qui? De quoi?	Après le verbe	Complément d'objet indirect (c.o.i.)	Je rêve *à* c.o.i.: *toi*. Je rêve à qui? Tu nuis *à ta* c.o.i.: *santé*. Tu nuis à quoi? J'ai hérité *de ma* c.o.i.: *mère*. J'ai hérité de qui? Je me charge *de ses* c.o.i.: *affaires*. Je me charge de quoi?
À qui? À quoi? De qui? De quoi?	Après un nom	Complément du nom (c.n.)	Un ami *à* c.n.: *moi*. Un ami à qui? Une cabane *à* c.n.: *sucre*. Une cabane à quoi? Le chapeau *de* c.n.: *Paul*. Le chapeau de qui? Le toit *de la* c.n.: *maison*. Le toit de quoi?

Questions à poser	Où les poser	Fonctions obtenues	Exemples
À qui?	Après un adjectif	Complément de l'adjectif (c.a.)	Un père dévoué *à ses* [*enfants*] (c.a.). Un père dévoué à qui?
À quoi?			Un geste difficile *à* [*poser*] (c.a.). Un geste difficile à quoi?
De qui?			Une femme fière *d'* [*elle*] (c.a.). Une femme fière de qui?
De quoi?			Un cœur rempli *d'* [*espoir*] (c.a.). Un cœur rempli de quoi?
Où?	Après le verbe	Complément circonstantiel de lieu (c.c.l.)	Je vais *à l'* [*école*] (c.c.l.). Je vais où?
Quand?		Complément circonstantiel de temps (c.c.t.)	Je viendrai [*demain*] (c.c.t.). Je viendrai quand?
Comment?		Complément circonstantiel de manière (c.c.m.)	Vous travaillez [*bien*] (c.c.m.). Vous travaillez comment?
Pourquoi?		Complément circonstantiel de but (c.c.b.)	Tu travailles *pour* [*réussir*] (c.c.b.). Tu travailles pourquoi?

Remarque. — Parmi les autres fonctions, retenons les fonctions suivantes:

- **attribut du sujet:**
  - c'est un **nom**, un **pronom** ou un **verbe à l'infinitif** qui répond à la question *qui?* ou *quoi?* après le verbe **être** ou un **verbe d'état**.

    attr.
    Ex.: Denise ***est*** une *étudiante* brillante.

  - c'est un **adjectif qualificatif** séparé du sujet par le verbe **être** ou un **verbe d'état**.

    attr.
    Ex.: Il ***est*** *bon*.

- **épithète:**
  c'est un **adjectif qualificatif** non séparé du nom par le verbe **être** ou un **verbe d'état**.

  épithète
  Ex.: Un *bon* dîner.

- **se rapporte:**
  c'est un **déterminant**.

  se rapp. se rapp.
  Ex.: *Mes* parents arriveront *cet* après-midi.

CHAPITRE 3
La conjugaison

Page

Les groupes de verbes

Selon la terminaison de leur infinitif[1], les verbes se classent en trois groupes.

— **Verbes du 1er groupe**:
ce sont ceux dont l'infinitif se termine en **-er**.

Ex.: March**er**, jou**er**, étudi**er**.

— **Verbes du 2e groupe**:
ce sont ceux dont l'infinitif se termine en **-ir** et qui font **-issons** à la 1re personne du pluriel de l'impératif présent.

Ex.: **Bâtir** (bât**issons**), fin**ir** (fin**issons**).

— **Verbes du 3e groupe**:
ce sont ceux qui ne font pas partie des deux premiers groupes, c'est-à-dire

- les verbes dont l'infinitif se termine en **-ir** et qui ne font pas **-issons** mais **-ons** à la 1re personne du pluriel de l'impératif présent.

  Ex.: Part**ir** (ne fait pas «partissons» mais part**ons**);
  deven**ir** (ne fait pas «devenissons» mais deven**ons**).

- les verbes dont l'infinitif se termine en **-re**.

  Ex.: Vend**re**, mett**re**, suiv**re**.

- les verbes dont l'infinitif se termine en **-oir**.

  Ex.: Recev**oir**, voul**oir**, dev**oir**.

1. L'infinitif, c'est le nom du verbe tel qu'il figure dans le dictionnaire.

Avoir et être comme verbes et auxiliaires

■ AVOIR ET ÊTRE COMME VERBES :

Ils sont **employés seuls**, sans verbe après eux.

Ex. : Ils *ont* vingt ans.

Le malade *était* calme.

■ AVOIR ET ÊTRE COMME AUXILIAIRES :

Ils sont toujours **accompagnés d'un verbe**.

Ex. : Elle lui *a* ***parlé*** hier.

La pièce *sera* ***jouée*** en français.

La distinction entre verbe conjugué et verbe non conjugué

■ **VERBE CONJUGUÉ :**

— C'est un verbe qui **s'accorde en personne avec son sujet**;

— Je peux poser avant le verbe la question *qui est-ce qui?* ou *qu'est-ce qui?*

Ex.: Pierre (S) *travaillait*.
(Qui est-ce qui travaillait?)

Les feuilles (S) *tombent*.
(Qu'est-ce qui tombe?)

■ **VERBE NON CONJUGUÉ :**

— C'est un verbe qui **ne s'accorde pas en personne avec son sujet**;

— Je ne peux pas poser avant le verbe la question *qui est-ce qui?* ou *qu'est-ce qui?*

Ex.: Tu aimes *voyager*.
(Qui est-ce qui voyager? Pas de réponse.)

Les cours sont *terminés*.
(Qu'est-ce qui terminés? Pas de réponse.)

N.B. — Dans les temps composés, seul l'auxiliaire être ou avoir s'accorde en personne avec le sujet.

Ex.: Ils *ont bu* du vin.
(Seul *ont* est à la 3e personne du pluriel.)

N.B. — Seuls les verbes aux **modes** et aux **temps** suivants sont **non conjugués**:

- les verbes au **participe présent**: ils se terminent en **-ant**.

  Ex.: Il parle en *dormant*.

- les verbes au **participe passé**: généralement, ils sont accompagnés des auxiliaires être ou avoir.

  Ex.: Elles ***sont*** *revenues* tôt.

  Nous ***aurons*** *fini* bientôt.

  N.B. — L'auxiliaire être peut être sous-entendu.

  Ex.: *Finies* les vacances, travaillons!

- les verbes à **l'infinitif**: ils se terminent en **-er**, **ir**, **-oir**, **-re**.

  Ex.: Je ne peux pas *mentir*.

La distinction entre temps simple et temps composé

■ TEMPS SIMPLE :

Le verbe est employé seul, **sans auxiliaire**.

Ex. : Ils *rougissent*; je *chercherai*; *viens*.

■ TEMPS COMPOSÉ :

Le verbe est employé **avec les auxiliaires être ou avoir**.

Ex. : Tu ***avais*** *marché*; il ***aura*** *ri*; elles ***seraient*** *venues*.

N.B. — À chaque temps simple correspond un temps composé.

■ TABLEAU DE CORRESPONDANCE DES TEMPS SIMPLES ET DES TEMPS COMPOSÉS :

MODES	TEMPS SIMPLES	TEMPS COMPOSÉS
Indicatif	présent →	passé composé
	imparfait →	plus-que-parfait
	futur simple →	futur antérieur
	passé simple →	passé antérieur
Conditionnel	présent →	passé
Impératif	présent →	passé
Subjonctif	présent →	passé
	imparfait →	plus-que-parfait
Infinitif	présent →	passé
Participe	présent →	passé

Remarque. — On compte six modes. Chaque mode compte deux temps (un temps simple et un temps composé), sauf le mode indicatif qui en compte huit (quatre temps simples et quatre temps composés) et le mode subjonctif qui en compte quatre (deux temps simples et deux temps composés).

La formation de l'indicatif présent

■ MARCHE À SUIVRE :

— **Identifier le groupe** auquel appartient le verbe à conjuguer.

— **Identifier le verbe modèle** du verbe à conjuguer à partir de la terminaison de son infinitif.

GROUPES DE VERBES	TERMINAISONS DE L'INFINITIF	VERBES MODÈLES
1er groupe →	→ -er →	→ AIMER
2e groupe →	→ -ir (issons) →	→ FINIR
3e groupe →	→ -ir (≠ issons) →	→ SENTIR OU CUEILLIR[1]
→	→ -oir →	→ RECEVOIR OU POUVOIR[2]
→	→ -re →	→ LIRE OU RENDRE[3]

— **Se reporter au tableau de conjugaison des verbes modèles** à l'indicatif présent pour connaître les terminaisons du verbe à conjuguer.

---

1. Les verbes du 3e groupe en **-ir** se conjuguent comme *sentir*, sauf *couvrir*, *offrir*, *ouvrir*, *souffrir*, *assaillir*, *tressaillir*, *défaillir* et leurs composés, qui se conjuguent comme *cueillir*.

2. Les verbes du 3e groupe en **-oir** se conjuguent comme *recevoir*, sauf *valoir* et *vouloir* qui se conjuguent comme *pouvoir*.

3. Les verbes du 3e groupe en **-re** se conjuguent comme *lire*, sauf *les verbes en* **-dre** qui se conjuguent comme *rendre*.

Tableau des verbes modèles à l'indicatif présent

AVOIR	**ÊTRE**	**AIMER**	**FINIR**	**SENTIR**[1]
J'ai Tu as Il a Nous avons Vous avez Ils ont	Je suis Tu es Il est Nous sommes Vous êtes Ils sont	J'aim**e** Tu aim**es** Il aim**e** Nous aim**ons** Vous aim**ez** Ils aim**ent**	Je fin**is** Tu fin**is** Il fin**it** Nous fin**issons** Vous fin**issez** Ils fin**issent**	Je sen**s** Tu sen**s** Il sen**t** Nous sent**ons** Vous sent**ez** Ils sent**ent**
CUEILLIR	**RECEVOIR**	**POUVOIR**	**LIRE**	**RENDRE**[2]
Je cueill**e** Tu cueill**es** Il cueill**e** Nous cueill**ons** Vous cueill**ez** Ils cueill**ent**	Je reço**is** Tu reço**is** Il reço**it** Nous recev**ons** Vous recev**ez** Ils reçoiv**ent**	Je peu**x** Tu peu**x** Il peu**t** Nous pouv**ons** Vous pouv**ez** Ils peuv**ent**	Je li**s** Tu li**s** Il li**t** Nous lis**ons** Vous lis**ez** Ils lis**ent**	Je ren**ds** Tu ren**ds** Il ren**d** Nous rend**ons** Vous rend**ez** Ils rend**ent**

1. Les verbes du 3e groupe en **-tir** comme *partir*, *sortir*, *mentir*, perdent leur **t** aux deux premières personnes du singulier.
2. Les verbes du 3e groupe en **-dre** gardent leur **d** aux trois premières personnes du singulier, sauf les verbes en **-indre** et en **-soudre**.

   Ex. : Craindre : je crain**s**, tu crain**s**, il crain**t** ; dissoudre : je dissou**s**, tu dissou**s**, il dissou**t**.

Verbes particuliers

ALLER	FAIRE	DIRE
Je vais	Je fais	Je dis
Tu vas	Tu fais	Tu dis
Il va	Il fait	Il dit
Nous allons	Nous faisons[1]	Nous disons
Vous allez	Vous **faites**[2]	Vous **dites**[3]
Ils vont	Ils font	Ils disent

PAYER[4]	ENVOYER[5]	CONNAÎTRE[6]
Je pa**ie** ou paye	J'envo**ie**	Je connais
Tu pa**ies** ou payes	Tu envo**ies**	Tu connais
Il pa**ie** ou paye	Il envo**ie**	Il conna**ît**
Nous payons	Nous envoyons	Nous connaissons
Vous payez	Vous envoyez	Vous connaissez
Ils pa**ient** ou payent	Ils envo**ient**	Ils connaissent

1. À la 1re personne du pluriel, le radical de «faisons» s'écrit **fai**, mais se prononce **fe**.
2. À la 2e personne du pluriel, on ne dit pas «faisez», mais **faites**.
3. À la 2e personne du pluriel, on ne dit pas «disez», mais **dites**.
4. Les verbes en **-ayer** peuvent changer le **y** en **i devant un e muet**.
5. Les verbes en **-oyer** changent le **y** en **i devant un e muet**.
6. Les verbes en **-aître** prennent un accent circonflexe sur le **î** quand **le i est suivi de la lettre t**.

La formation de l'indicatif imparfait

■ MARCHE À SUIVRE :

— **Prendre l'indicatif présent** du verbe à conjuguer à la **1re personne du pluriel.**

Ex. : Nous avons, nous aimons, nous finissons.

— **Enlever** la terminaison **-ons.**

Ex. : Av(ons) = *av*; aim(ons) = *aim*; finiss(ons) = *finiss.*

— **Ajouter** les terminaisons **-ais, -ais, -ait, -ions, -iez, -aient.**

Ex. :			
	J'av(ais)	J'aim(ais)	Je finiss(ais)
	Tu av(ais)	Tu aim(ais)	Tu finiss(ais)
	Il av(ait)	Il aim(ait)	Il finiss(ait)
	Nous av(ions)	Nous aim(ions)	Nous finiss(ions)
	Vous av(iez)	Vous aim(iez)	Vous finiss(iez)
	Ils av(aient)	Ils aim(aient)	Ils finiss(aient)

Tableau des verbes modèles à l'indicatif imparfait

AVOIR	**ÊTRE**	**AIMER**	**FINIR**	**SENTIR**
J'av**ais**	J'ét**ais**	J'aim**ais**	Je finiss**ais**	Je sent**ais**
Tu av**ais**	Tu ét**ais**	Tu aim**ais**	Tu finiss**ais**	Tu sent**ais**
Il av**ait**	Il ét**ait**	Il aim**ait**	Il finiss**ait**	Il sent**ait**
Nous av**ions**	Nous ét**ions**	Nous aim**ions**	Nous finiss**ions**	Nous sent**ions**
Vous av**iez**	Vous ét**iez**	Vous aim**iez**	Vous finiss**iez**	Vous sent**iez**
Ils av**aient**	Ils ét**aient**	Ils aim**aient**	Ils finiss**aient**	Ils sent**aient**
CUEILLIR	**RECEVOIR**	**POUVOIR**	**LIRE**	**RENDRE**
Je cueill**ais**	Je recev**ais**	Je pouv**ais**	Je lis**ais**	Je rend**ais**
Tu cueill**ais**	Tu recev**ais**	Tu pouv**ais**	Tu lis**ais**	Tu rend**ais**
Il cueill**ait**	Il recev**ait**	Il pouv**ait**	Il lis**ait**	Il rend**ait**
Nous cueill**ions**	Nous recev**ions**	Nous pouv**ions**	Nous lis**ions**	Nous rend**ions**
Vous cueill**iez**	Vous recev**iez**	Vous pouv**iez**	Vous lis**iez**	Vous rend**iez**
Ils cueill**aient**	Ils recev**aient**	Ils pouv**aient**	Ils lis**aient**	Ils rend**aient**

Verbes particuliers

FAIRE[1]		CRIER[2]	
	Je fais**ais**		Je cri**ais**
	Tu fais**ais**		Tu cri**ais**
	Il fais**ait**		Il cri**ait**
Nous fais **(ons)** (ind. présent)	Nous fais**ions**	Nous cri **(ons)** (ind. présent)	Nous cri**ions**
	Vous fais**iez**		Vous cri**iez**
	Ils fais**aient**		Ils cri**aient**

NAGER[3]		LANCER[4]	
	Je nage**ais**		Je lanç**ais**
	Tu nage**ais**		Tu lanç**ais**
	Il nage**ait**		Il lanç**ait**
Nous nage **(ons)** (ind. présent)	Nous nag**ions**	Nous lanç **(ons)** (ind. présent)	Nous lanc**ions**
	Vous nag**iez**		Vous lanc**iez**
	Ils nage**aient**		Ils lanç**aient**

1. À l'indicatif imparfait, tout comme à l'indicatif présent, à la 1re personne du pluriel, le radical du verbe *faire* se prononce **fe**, mais s'écrit **fai**.

2. Les verbes du 1er groupe en **-ier** comptent **deux i** à la **1re** et à la **2e** personne du **pluriel**.

3. À l'indicatif imparfait, tout comme à l'indicatif présent, à la 1re personne du pluriel, les verbes du 1er groupe en **-ger** prennent un **e** devant les voyelles **a** et **o**.

4. À l'indicatif imparfait, tout comme à l'indicatif présent, à la 1re personne du pluriel, les verbes du 1er groupe en **-cer** prennent une **cédille sous le c** devant les voyelles **a** et **o**.

La formation de l'indicatif futur simple

■ MARCHE À SUIVRE :

— **Prendre l'infinitif présent** du verbe à conjuguer.

Ex. : Aim**er**, fin**ir**, sent**ir**, recev**oir**, rend**re**, li**re**.

— **Enlever les lettres suivantes** aux terminaisons des verbes à l'infinitif présent :

- le **r** aux verbes en **-er** et en **-ir**[1].

  Ex. : Aime(r) = *aime*; fini(r) = *fini*; senti(r) = *senti*.

- le **oir** aux verbes en **-oir**[2].

  Ex. : Recev(oir) = *recev*.

- le **re** aux verbes en **-re**[3].

  Ex. : Rend(re) = *rend*; li(re) = *li*.

— **Ajouter** les terminaisons **-rai, -ras, -ra, -rons, -rez, -ront**.

Ex. :			
	J'aime(rai)	Je recev(rai)	Je rend(rai)
	Tu aime(ras)	Tu recev(ras)	Tu rend(ras)
	Il aime(ra)	Il recev(ra)	Il rend(ra)
	Nous aime(rons)	Nous recev(rons)	Nous rend(rons)
	Vous aime(rez)	Vous recev(rez)	Vous rend(rez)
	Ils aime(ront)	Ils recev(ront)	Ils rend(ront)

---

1. *Aller*, *envoyer*, *courir*, *mourir*, *tenir*, *venir*, *cueillir* et *acquérir* ne suivent pas la règle générale de formation de l'indicatif futur simple pour les verbes en **-er** et en **-ir**.

2. *Savoir*, *devoir*, *valoir*, *voir*, *vouloir*, *pouvoir* et *falloir* ne suivent pas la règle générale de formation de l'indicatif futur simple pour les verbes en **-oir**.

3. *Faire* ne suit pas la règle générale de formation de l'indicatif futur simple pour les verbes en **-re**.

Tableau des verbes modèles à l'indicatif futur simple

AVOIR	**ÊTRE**	**AIMER**	**FINIR**	**SENTIR**
J'au**rai**	Je se**rai**	J'aime**rai**	Je fini**rai**	Je senti**rai**
Tu au**ras**	Tu se**ras**	Tu aime**ras**	Tu fini**ras**	Tu senti**ras**
Il au**ra**	Il se**ra**	Il aime**ra**	Il fini**ra**	Il senti**ra**
Nous au**rons**	Nous se**rons**	Nous aime**rons**	Nous fini**rons**	Nous senti**rons**
Vous au**rez**	Vous se**rez**	Vous aime**rez**	Vous fini**rez**	Vous senti**rez**
Ils au**ront**	Ils se**ront**	Ils aime**ront**	Ils fini**ront**	Ils senti**ront**
CUEILLIR[1]	**RECEVOIR**	**POUVOIR[1]**	**LIRE**	**RENDRE**
Je cueille**rai**	Je recev**rai**	Je pour**rai**	Je li**rai**	Je rend**rai**
Tu cueille**ras**	Tu recev**ras**	Tu pour**ras**	Tu li**ras**	Tu rend**ras**
Il cueille**ra**	Il recev**ra**	Il pour**ra**	Il li**ra**	Il rend**ra**
Nous cueille**rons**	Nous recev**rons**	Nous pour**rons**	Nous li**rons**	Nous rend**rons**
Vous cueille**rez**	Vous recev**rez**	Vous pour**rez**	Vous li**rez**	Vous rend**rez**
Ils cueille**ront**	Ils recev**ront**	Ils pour**ront**	Ils li**ront**	Ils rend**ront**

1. Parmi les verbes modèles du 3e groupe, *cueillir* et *pouvoir* ne suivent par la règle de formation de l'indicatif futur simple.

Verbes particuliers

ALLER	ENVOYER	COURIR	MOURIR
J'i**rai**	J'enver**rai**	Je cour**rai**	Je mour**rai**
Tu i**ras**	Tu enver**ras**	Tu cour**ras**	Tu mour**ras**
Il i**ra**	Il enver**ra**	Il cour**ra**	Il mour**ra**
Nous i**rons**	Nous enver**rons**	Nous cour**rons**	Nous mour**rons**
Vous i**rez**	Vous enver**rez**	Vous cour**rez**	Vous mour**rez**
Ils i**ront**	Ils enver**ront**	Ils cour**ront**	Ils mour**ront**

TENIR	VENIR	ACQUÉRIR	SAVOIR
Je tiend**rai**	Je viend**rai**	J'acquer**rai**	Je sau**rai**
Tu tiend**ras**	Tu viend**ras**	Tu acquer**ras**	Tu sau**ras**
Il tiend**ra**	Il viend**ra**	Il acquer**ra**	Il sau**ra**
Nous tiend**rons**	Nous viend**rons**	Nous acquer**rons**	Nous sau**rons**
Vous tiend**rez**	Vous viend**rez**	Vous acquer**rez**	Vous sau**rez**
Ils tiend**ront**	Ils viend**ront**	Ils acquer**ront**	Ils sau**ront**

DEVOIR	VALOIR	VOIR	VOULOIR
Je dev**rai**	Je vaud**rai**	Je ver**rai**	Je voud**rai**
Tu dev**ras**	Tu vaud**ras**	Tu ver**ras**	Tu voud**ras**
Il dev**ra**	Il vaud**ra**	Il ver**ra**	Il voud**ra**
Nous dev**rons**	Nous vaud**rons**	Nous ver**rons**	Nous voud**rons**
Vous dev**rez**	Vous vaud**rez**	Vous ver**rez**	Vous voud**rez**
Ils dev**ront**	Ils vaud**ront**	Ils ver**ront**	Ils voud**ront**

FALLOIR[1]	FAIRE
Il faud**ra**	Je fe**rai**
	Tu fe**ras**
	Il fe**ra**
	Nous fe**rons**
	Vous fe**rez**
	Ils fe**ront**

1. *Falloir* est un **verbe impersonnel**, c'est-à-dire un verbe qui ne se conjugue qu'à la 3e personne du singulier.

La formation du conditionnel présent

■ MARCHE À SUIVRE :

— **Prendre l'infinitif présent** du verbe à conjuguer.

Ex. : Aim**er**, fin**ir**, sent**ir**, recev**oir**, rend**re**, li**re**.

— **Enlever les lettres suivantes** aux terminaisons des verbes à l'infinitif présent :

- le **r** aux verbes en **-er** et en **-ir**[1].

  Ex. : Aime(r) = *aime*; fini(r) = *fini*; senti(r) = *senti*.

- le **oir** aux verbes en **-oir**[2].

  Ex. : Recev(oir) = *recev*.

- le **re** aux verbes en **-re**[3].

  Ex. : Rend(re) = *rend*; li(re) = *li*.

— **Ajouter** les terminaisons **-rais**, **-rais**, **-rait**, **-rions**, **-riez**, **-raient**.

Ex. :			
	J'aime(rais)	Je recev(rais)	Je rend(rais)
	Tu aime(rais)	Tu recev(rais)	Tu rend(rais)
	Il aime(rait)	Il recev(rait)	Il rend(rait)
	Nous aime(rions)	Nous recev(rions)	Nous rend(rions)
	Vous aime(riez)	Vous recev(riez)	Vous rend(riez)
	Ils aime(raient)	Ils recev(raient)	Ils rend(raient)

---

1. *Aller*, *envoyer*, *courir*, *mourir*, *tenir*, *venir*, *cueillir* et *acquérir* ne suivent pas la règle générale de formation du conditionnel présent pour les verbes en **-er** et en **-ir**.

2. *Savoir*, *devoir*, *valoir*, *voir*, *vouloir*, *pouvoir* et *falloir* ne suivent pas la règle générale de formation du conditionnel présent pour les verbes en **-oir**.

3. *Faire* ne suit pas la règle générale de formation du conditionnel présent pour les verbes en **-re**.

Tableau des verbes modèles au conditionnel présent

AVOIR	ÊTRE	AIMER	FINIR	SENTIR
J'au**rais** Tu au**rais** Il au**rait** Nous au**rions** Vous au**riez** Ils au**raient**	Je se**rais** Tu se**rais** Il se**rait** Nous se**rions** Vous se**riez** Ils se**raient**	J'aime**rais** Tu aime**rais** Il aime**rait** Nous aime**rions** Vous aime**riez** Ils aime**raient**	Je fini**rais** Tu fini**rais** Il fini**rait** Nous fini**rions** Vous fini**riez** Ils fini**raient**	Je senti**rais** Tu senti**rais** Il senti**rait** Nous senti**rions** Vous senti**riez** Ils senti**raient**
CUEILLIR[1]	**RECEVOIR**	**POUVOIR[1]**	**LIRE**	**RENDRE**
Je cueille**rais** Tu cueille**rais** Il cueille**rait** Nous cueille**rions** Vous cueille**riez** Ils cueille**raient**	Je recev**rais** Tu recev**rais** Il recev**rait** Nous recev**rions** Vous recev**riez** Ils recev**raient**	Je pour**rais** Tu pour**rais** Il pour**rait** Nous pour**rions** Vous pour**riez** Ils pour**raient**	Je li**rais** Tu li**rais** Il li**rait** Nous li**rions** Vous li**riez** Ils li**raient**	Je rend**rais** Tu rend**rais** Il rend**rait** Nous rend**rions** Vous rend**riez** Ils rend**raient**

Remarque. — Il ne faut pas confondre les **terminaisons du conditionel présent** (**-rais**, **-rais**, **-rait**, **-rions**, **-riez**, **-raient**) avec celles de **l'indicatif imparfait** (**-ais**, **-ais**, **-ait**, **-ions**, **-iez**, **-aient**) et avec celles de **l'indicatif futur simple** (**-rai**, **-ras**, **-ra**, **-rons**, **-rez**, **-ront**).

1. Parmi les verbes modèles du 3e groupe, *cueillir* et *pouvoir* ne suivent pas la règle de formation du conditionnel présent.

Verbes particuliers

ALLER	ENVOYER	COURIR[1]	MOURIR[1]
J'**irais** Tu **irais** Il **irait** Nous **irions** Vous **iriez** Ils **iraient**	J'enver**rais** Tu enver**rais** Il enver**rait** Nous enver**rions** Vous enver**riez** Ils enver**raient**	Je cour**rais** Tu cour**rais** Il cour**rait** Nous cour**rions** Vous cour**riez** Ils cour**raient**	Je mour**rais** Tu mour**rais** Il mour**rait** Nous mour**rions** Vous mour**riez** Ils mour**raient**
TENIR	**VENIR**	**ACQUÉRIR**	**SAVOIR**
Je tiend**rais** Tu tiend**rais** Il tiend**rait** Nous tiend**rions** Vous tiend**riez** Ils tiend**raient**	Je viend**rais** Tu viend**rais** Il viend**rait** Nous viend**rions** Vous viend**riez** Ils viend**raient**	J'acquer**rais** Tu acquer**rais** Il acquer**rait** Nous acquer**rions** Vous acquer**riez** Ils acquer**raient**	Je sau**rais** Tu sau**rais** Il sau**rait** Nous sau**rions** Vous sau**riez** Ils sau**raient**
DEVOIR	**VALOIR**	**VOIR**	**VOULOIR**
Je dev**rais** Tu dev**rais** Il dev**rait** Nous dev**rions** Vous dev**riez** Ils dev**raient**	Je vaud**rais** Tu vaud**rais** Il vaud**rait** Nous vaud**rions** Vous vaud**riez** Ils vaud**raient**	Je ver**rais** Tu ver**rais** Il ver**rait** Nous ver**rions** Vous ver**riez** Ils ver**raient**	Je voud**rais** Tu voud**rais** Il voud**rait** Nous voud**rions** Vous voud**riez** Ils voud**raient**
FALLOIR[2]	**FAIRE**		
Il faud**rait**	Je fe**rais** Tu fe**rais** Il fe**rait** Nous fe**rions** Vous fe**riez** Ils fe**raient**		

1. **Au conditionnel présent**, *courir* et *mourir* prennent **deux r** ; **à l'indicatif imparfait**, ils prennent seulement *un r*.

2. *Falloir* est un **verbe impersonnel**, c'est-à-dire un verbe qui ne se conjugue qu'à la 3e personne du singulier.

La formation de l'impératif présent

■ **MARCHE À SUIVRE :**

— **Prendre l'indicatif présent** du verbe à conjuguer à la **2e personne du singulier**, à la **1re personne du pluriel** et à la **2e personne du pluriel**.

Ex. :	Tu finis	Tu reçois	Tu rends
	Nous finissons	Nous recevons	Nous rendons
	Vous finissez	Vous recevez	Vous rendez

— **Enlever** les pronoms **tu, nous, vous.**

Ex. :	Finis	Reçois	Rends
	Finissons	Recevons	Rendons
	Finissez	Recevez	Rendez

— **À la 2e personne du singulier**, en plus d'enlever le pronom *tu*, il faut aussi **enlever le s aux verbes qui se terminent par un e** de même qu'au verbe **aller**.

Ex. : Tu aimes ⟶ aimes ⟶ aim**e**
Tu ouvres ⟶ ouvres ⟶ ouvr**e**
Tu vas ⟶ vas ⟶ v**a**

Tableau des verbes modèles à l'impératif présent

AVOIR[1]	ÊTRE[1]	AIMER	FINIR	SENTIR
Aie[2]	Sois	Aime[2]	Finis	Sens
Ayons	Soyons	Aim**ons**	Fin**issons**	Sent**ons**
Ayez	Soyez	Aim**ez**	Fin**issez**	Sent**ez**
CUEILLIR	**RECEVOIR**	**POUVOIR[3]**	**LIRE**	**RENDRE**
Cueill**e**[2]	Reç**ois**		Li**s**	Rend**s**
Cueill**ons**	Recev**ons**		Lis**ons**	Rend**ons**
Cueill**ez**	Recev**ez**		Lis**ez**	Rend**ez**

1. *Avoir* et *être* ne suivent pas la règle de formation de l'impératif présent.
2. À la 2e personne du singulier, les verbes qui se terminent par un **e** ne prennent pas de **s**.
3. Le verbe *pouvoir* ne se conjugue pas à l'impératif présent.

Verbes particuliers

ALLER	DIRE	FAIRE
V**a**	Dis	Fais
Allons	Disons	F**ai**sons[1]
Allez	Di**tes**	Fai**tes**
VOULOIR	**SAVOIR**	
Veuille	Sache	
Veuillons	Sachons	
Veuillez	Sachez	

1. À la 1re personne du pluriel, le radical de «faisons» s'écrit **fai**, mais se prononce *fe*.

La formation du subjonctif présent

■ MARCHE À SUIVRE :

— **Conjugaison des 1re, 2e, 3e personnes du singulier et de la 3e personne du pluriel :**

- **prendre l'indicatif présent** du verbe à conjuguer à la **3e personne du pluriel;**

  Ex. : Ils aiment; ils reçoivent; ils rendent.

- **enlever** la terminaison **-ent**;

  Ex. : Aime(ent) = *aim*; reçoiv(ent) = *reçoiv*; rend(ent) = *rend.*

- **ajouter** les terminaisons du verbe aimer à l'indicatif présent : **-e, -es, -e, -ent**;
- mettre **que** ou **qu' devant** les verbes conjugués.

Ex. :		
Que j'aim(e)	Que je reçoiv(e)	Que je rend(e)
Que tu aim(es)	Que tu reçoiv(es)	Que tu rend(es)
Qu'il aim(e)	Qu'il reçoiv(e)	Qu'il rend(e)
Qu'ils aim(ent)	Qu'ils reçoiv(ent)	Qu'ils rend(ent)

— **Conjugaison des 1re et 2e personnes du pluriel :**

- **prendre l'indicatif présent** du verbe à conjuguer à la **1re personne du pluriel;**

  Ex. : Nous aimons; nous recevons; nous rendons.

- **enlever** la terminaison **-ons**;

  Ex. : Aim(ons) = *aim*; recev(ons) = *recev*; rend(ons) = *rend.*

- **ajouter** les terminaisons du verbe aimer à l'indicatif imparfait : **-ions, -iez**;

- mettre **que devant** les verbes conjugués.

Ex. : Que nous aim(ions) Que nous recev(ions) Que nous rend(ions)
Que vous aim(iez) Que vous recev(iez) Que vous rend(iez)

Tableau des verbes modèles au subjonctif présent

AVOIR[1]	**ÊTRE**[1]	**AIMER**	**FINIR**	**SENTIR**
Que j'aie	Que je sois	Que j'aim**e**	Que je finiss**e**	Que je sent**e**
Que tu aies	Que tu sois	Que tu aim**es**	Que tu finiss**es**	Que tu sent**es**
Qu'il ait	Qu'il soit	Qu'il aim**e**	Qu'il finiss**e**	Qu'il sent**e**
Que nous ayons	Que nous soyons	Que nous aim**ions**	Que nous finiss**ions**	Que nous sent**ions**
Que vous ayez	Que vous soyez	Que vous aim**iez**	Que vous finiss**iez**	Que vous sent**iez**
Qu'ils aient	Qu'ils soient	Qu'ils aim**ent**	Qu'ils finiss**ent**	Qu'ils sent**ent**
CUEILLIR	**RECEVOIR**	**POUVOIR**[2]	**LIRE**	**RENDRE**
Que je cueill**e**	Que je reçoiv**e**	Que je puiss**e**	Que je lis**e**	Que je rend**e**
Que tu cueill**es**	Que tu reçoiv**es**	Que tu puiss**es**	Que tu lis**es**	Que tu rend**es**
Qu'il cueill**e**	Qu'il reçoiv**e**	Qu'il puiss**e**	Qu'il lis**e**	Qu'il rend**e**
Que nous cueill**ions**	Que nous recev**ions**	Que nous puiss**ions**	Que nous lis**ions**	Que nous rend**ions**
Que vous cueill**iez**	Que vous recev**iez**	Que vous puiss**iez**	Que vous lis**iez**	Que vous rend**iez**
Qu'ils cueill**ent**	Qu'ils reçoiv**ent**	Qu'ils puiss**ent**	Qu'ils lis**ent**	Qu'ils rend**ent**

1. Les verbes *avoir* et *être* n'ont pas les terminaisons (e, es, e, ions, iez, ent) du subjonctif.

2. Le verbe *pouvoir* ne suit pas la règle de formation du subjonctif.

Verbes particuliers

ALLER	SAVOIR	VALOIR	VOULOIR
Que j'aill**e**	Que je sach**e**	Que je vaill**e**	Que je veuill**e**
Que tu aill**es**	Que tu sach**es**	Que tu vaill**es**	Que tu veuill**es**
Qu'il aill**e**	Qu'il sach**e**	Qu'il vaill**e**	Qu'il veuill**e**
Que nous all**ions**	Que nous sach**ions**	Que nous val**ions**	Que nous voul**ions**
Que vous all**iez**	Que vous sach**iez**	Que vous val**iez**	Que vous voul**iez**
Qu'ils aill**ent**	Qu'ils sach**ent**	Qu'ils vaill**ent**	Qu'ils veuill**ent**

FAIRE
Que je fass**e**
Que tu fass**es**
Qu'il fass**e**
Que nous fass**ions**
Que vous fass**iez**
Qu'ils fass**ent**

La formation de l'indicatif passé composé

■ MARCHE À SUIVRE :

— **Prendre le verbe *avoir*** et le conjuguer **à l'indicatif présent**.

Ex. : J'ai	Nous avons
Tu as	Vous avez
Il a	Ils ont

— **Ajouter** au verbe *avoir* **le participe passé** du verbe à conjuguer.

Ex. : J'ai *aimé*	J'ai *bâti*
Tu as *aimé*	Tu as *bâti*
Il a *aimé*	Il a *bâti*
Nous avons *aimé*	Nous avons *bâti*
Vous avez *aimé*	Vous avez *bâti*
Ils ont *aimé*	Ils ont *bâti*

■ TERMINAISONS DES PARTICIPES PASSÉS :

— Les verbes du 1er groupe (**er**) = **é**.

Ex. : Aim**é**, pri**é**.

— Les verbes du 2e groupe (**ir**) = **i**.

Ex. : Pâl**i**, fin**i**.

— Les verbes du 3e groupe (**ir**) (**oir**) (**re**) = **i**, **u**, **s** ou **t**.

Ex. : Cueill**i**, sort**i**; Pri**s**, mi**s**;
Reç**u**, v**u**; Fai**t**, construi**t**.

N.B. — Pour connaître la lettre finale du participe passé, il suffit de mettre celui-ci au féminin.

Ex. : Di**t** (dite); ouver**t** (ouverte); remi**s** (remise).

Tableau des verbes modèles à l'indicatif passé composé

AVOIR	ÊTRE	AIMER	FINIR	SENTIR
J'ai eu Tu as eu Il a eu Nous avons eu Vous avez eu Ils ont eu	J'ai été Tu as été Il a été Nous avons été Vous avez été Ils ont été	J'ai aimé Tu as aimé Il a aimé Nous avons aimé Vous avez aimé Ils ont aimé	J'ai fini Tu as fini Il a fini Nous avons fini Vous avez fini Ils ont fini	J'ai senti Tu as senti Il a senti Nous avons senti Vous avez senti Ils ont senti
Cueillir	**Recevoir**	**Pouvoir**	**Lire**	**Rendre**
J'ai cueilli Tu as cueilli Il a cueilli Nous avons cueilli Vous avez cueilli Ils ont cueilli	J'ai reçu Tu as reçu Il a reçu Nous avons reçu Vous avez reçu Ils ont reçu	J'ai pu Tu as pu Il a pu Nous avons pu Vous avez pu Ils ont pu	J'ai lu Tu as lu Il a lu Nous avons lu Vous avez lu Ils ont lu	J'ai rendu Tu as rendu Il a rendu Nous avons rendu Vous avez rendu Ils ont rendu

Remarques. — Les verbes *aller*, *arriver*, *devenir*, *mourir*, *naître*, *rester*, *tomber* et *venir* ne se conjuguent pas avec l'auxiliaire *avoir* mais **avec l'auxiliaire être**.

— Les verbes *entrer*, *partir* et *sortir* se conjuguent généralement avec l'auxiliaire *être*, sauf quand ils sont suivis d'un complément d'objet direct.

Ex.: Nous ***sommes*** *partis* à l'arrivée des policiers.

c.o.d.

Le policier ***a*** *sorti* son arme.

Verbes particuliers[1]

ALLER	ARRIVER	DEVENIR	ENTRER
Je suis allé(e) Tu es allé(e) Il est allé Nous sommes allé(e)s Vous êtes allé(e)s Ils sont allés	Je suis arrivé(e) Tu es arrivé(e) Il est arrivé Nous sommes arrivé(e)s Vous êtes arrivé(e)s Ils sont arrivés	Je suis devenu(e) Tu es devenu(e) Il est devenu Nous sommes devenu(e)s Vous êtes devenu(e)s Ils sont devenus	Je suis entré(e) Tu es entré(e) Il est entré Nous sommes entré(e)s Vous êtes entré(e)s Ils sont entrés
MOURIR	**NAÎTRE**	**PARTIR**	**RESTER**
Je suis mort(e) Tu es mort(e) Il est mort Nous sommes mort(e)s Vous êtes mort(e)s Ils sont morts	Je suis né(e) Tu es né(e) Il est né Nous sommes né(e)s Vous êtes né(e)s Ils sont nés	Je suis parti(e) Tu es parti(e) Il est parti Nous sommes parti(e)s Vous êtes parti(e)s Ils sont partis	Je suis resté(e) Tu es resté(e) Il est resté Nous sommes resté(e)s Vous êtes resté(e)s Ils sont restés
SORTIR	**TOMBER**	**VENIR**	
Je suis sorti(e) Tu es sorti(e) Il est sorti Nous sommes sorti(e)s Vous êtes sorti(e)s Ils sont sortis	Je suis tombé(e) Tu es tombé(e) Il est tombé Nous sommes tombé(e)s Vous êtes tombé(e)s Ils sont tombés	Je suis venu(e) Tu es venu(e) Il est venu Nous sommes venu(e)s Vous êtes venu(e)s Ils sont venus	

1. Les verbes du tableau ci-dessus ne se conjuguent qu'avec l'auxiliaire *être*, sauf *entrer*, *partir* et *sortir*, qui se conjuguent avec l'auxiliaire *avoir* quand ils sont suivis d'un complément d'objet direct. Le participe passé de ces verbes conjugués avec l'auxiliaire *être* s'accorde en genre et en nombre avec le sujet du verbe.

La formation de l'indicatif passé simple

■ MARCHE À SUIVRE :

— **Trouver le participe passé** du verbe à conjuguer.

N.B. — Pour trouver le participe passé, on conjugue le verbe avec *avoir*.

Ex. : Laver = j'ai lavé (lavé = participe passé).
Grossir = j'ai grossi (grossi = participe passé).
Prendre = j'ai pris (pris = participe passé).
Vouloir = j'ai voulu (voulu = participe passé).

— **Remplacer la lettre ou les lettres finales du participe passé par les terminaisons de l'indicatif passé simple.**

LETTRE(S) FINALE(S) DU PARTICIPE PASSÉ	TERMINAISONS DE L'INDICATIF PASSÉ SIMPLE
é[1]	**ai, as, a, âmes, âtes, èrent**
i ou **is**	**is, is, it, îmes, îtes, irent**
u[2]	**us, us, ut, ûmes, ûtes, urent**
t[3]	

1. **Naître** est une exception. N(é) = je naqu**is**, tu naqu**is**... nous naqu**îmes**...

2. Les verbes en **-dre**, en **-cre** et en **-pre** de même que *vêtir*, *battre* et *voir* ne suivent pas la règle générale : ils prennent les terminaisons **is**, **is**, **it**, **îmes**, **îtes**, **irent**.

   Ex. : Vend(u) = je vend**is**, tu vend**is**... nous vend**îmes**...
   V(u) = je v**is**, tu v**is**... nous v**îmes**...

3. La règle ne s'applique généralement pas pour les participes passés qui se terminent par la lettre **t**. **À l'exception** de *mourir*, ces verbes prennent généralement les terminaisons **is**, **is**, **it**, **îmes**, **îtes**, **irent**.

   Ex. : Ouver(t) = j'ouvr**is**, tu ouvr**is**... nous ouvr**îmes**...
   Crain(t) = je craign**is**, tu craign**is**... nous craign**îmes**...

Ex. : Lav(é) = je lav**ai**, tu lav**as**... nous lav**âmes**...
Gross(i) = je gross**is**, tu gross**is**... nous gross**îmes**...
Pr(is) = je pr**is**, tu pr**is**... nous pr**îmes**...
Voul(u) = je voul**us**, tu voul**us**... nous voul**ûmes**...

Rem. : À l'exception des verbes dont le participe passé se termine par la lettre **t**, le participe passé et l'indicatif passé simple à la 1re personne du singulier présentent des ressemblances homophoniques.

Ex. : Nettoy(é) = je nettoy**ai**;
Part(i) = je part**is**;
M(is) = je m**is**;
Aperç(u) = j'aperç**us**.

Tableau des verbes modèles à l'indicatif passé simple

AVOIR	ÊTRE	AIMER	FINIR	SENTIR
J'e**us**	Je f**us**	J'aim**ai**	Je fin**is**	Je sent**is**
Tu e**us**	Tu f**us**	Tu aim**as**	Tu fin**is**	Tu sent**is**
Il e**ut**	Il f**ut**	Il aim**a**	Il fin**it**	Il sent**it**
Nous e**ûmes**	Nous f**ûmes**	Nous aim**âmes**	Nous fin**îmes**	Nous sent**îmes**
Vous e**ûtes**	Vous f**ûtes**	Vous aim**âtes**	Vous fin**îtes**	Vous sent**îtes**
Ils e**urent**	Ils f**urent**	Ils aim**èrent**	Ils fin**irent**	Ils sent**irent**
CUEILLIR	**RECEVOIR**	**POUVOIR**	**LIRE**	**RENDRE**
Je cueill**is**	Je reç**us**	Je p**us**	Je l**us**	Je rend**is**
Tu cueill**is**	Tu reç**us**	Tu p**us**	Tu l**us**	Tu rend**is**
Il cueill**it**	Il reç**ut**	Il p**ut**	Il l**ut**	Il rend**it**
Nous cueill**îmes**	Nous reç**ûmes**	Nous p**ûmes**	Nous l**ûmes**	Nous rend**îmes**
Vous cueill**îtes**	Vous reç**ûtes**	Vous p**ûtes**	Vous l**ûtes**	Vous rend**îtes**
Ils cueill**irent**	Ils reç**urent**	Ils p**urent**	Ils l**urent**	Ils rend**irent**

N.B. — L'accent circonflexe se retrouve à la 1re et à la 2e personne du pluriel de tous les verbes à l'indicatif passé simple, sauf pour le verbe haïr, où le tréma remplace l'accent circonflexe.

Verbes particuliers

TENIR	VENIR
Je tins	Je vins
Tu tins	Tu vins
Il tint	Il vint
Nous tînmes	Nous vînmes
Vous tîntes	Vous vîntes
Ils tinrent	Ils vinrent
HAÏR	**CROÎTRE**
Je haïs	Je crûs[2]
Tu haïs	Tu crûs
Il haït	Il crût
Nous haïmes[1]	Nous crûmes
Vous haïtes	Vous crûtes
Ils haïrent	Ils crûrent

1. A la 1re et à la 2e personne du pluriel, le tréma remplace l'accent circonflexe.

2. Aux trois premières personnes du singulier et à la 3e personne du pluriel, on met un accent circonflexe pour différencier le verbe croître du verbe croire.

La formation des temps composés

■ MARCHE À SUIVRE :

— **Prendre l'auxiliaire *avoir*** et le conjuguer **au temps simple correspondant** au temps composé demandé.

Ex. :

Temps composé demandé		***Avoir* au temps simple correspondant**
Ind. passé composé	⟶	Ind. présent : j'ai, tu...
Ind. plus-que-parfait	⟶	Ind. imparfait : j'avais, tu...
Ind. futur antérieur	⟶	Ind. futur simple : j'aurai, tu...
Ind. passé antérieur	⟶	Ind. passé simple : j'eus, tu...
Cond. passé	⟶	Cond. présent : j'aurais, tu...
Impér. passé	⟶	Impér. présent : aie...
Subj. passé	⟶	Subj. présent : que j'aie, que tu...
Inf. passé	⟶	Inf. présent : avoir
Part. passé	⟶	Part. présent : ayant

— **Ajouter** à l'auxiliaire *avoir* **le participe passé** du verbe à conjuguer.

Ex. : Aimer à l'ind. plus-que-parfait :
j'avais *aimé*, tu avais *aimé*, il...

Recevoir à l'ind. futur antérieur :
j'aurai *reçu*, tu auras *reçu*, il...

Finir au subj. passé :
que j'aie *fini*, que tu aies *fini*, qu'il...

N.B. — Certains verbes comme *aller*, *arriver*, *devenir*, *mourir*, *naître*, *rester*, *tomber*, *venir* ne **se conjuguent** qu'**avec l'auxiliaire être** ; d'autres, comme *entrer*, *partir* et *sortir*, se conjuguent généralement avec l'auxiliaire *être*, sauf quand ils sont suivis d'un complément d'objet direct.

Tableau des verbes modèles

Indicatif passé composé		Indicatif plus-que-parfait		Indicatif futur antérieur	
	eu		eu		eu
J'ai	été	J'avais	été	J'aurai	été
Tu as	aimé	Tu avais	aimé	Tu auras	aimé
Il a	fini	Il avait	fini	Il aura	fini
Nous avons	senti	Nous avions	senti	Nous aurons	senti
Vous avez	reçu	Vous aviez	reçu	Vous aurez	reçu
Ils ont	rendu	Ils avaient	rendu	Ils auront	rendu
	lu		lu		lu

Indicatif passé antérieur		Conditionnel passé		Subjonctif passé	
	eu		eu		eu
J'eus	été	J'aurais	été	Que j'aie	été
Tu eus	aimé	Tu aurais	aimé	Que tu aies	aimé
Il eut	fini	Il aurait	fini	Qu'il ait	fini
Nous eûmes	senti	Nous aurions	senti	Que nous ayons	senti
Vous eûtes	reçu	Vous auriez	reçu	Que vous ayez	reçu
Ils eurent	rendu	Ils auraient	rendu	Qu'ils aient	rendu
	lu		lu		lu

suite →

Impératif passé		Infinitif passé		Participe passé	
Aie Ayons Ayez	eu été aimé fini senti reçu rendu lu	Avoir	eu été aimé fini senti reçu rendu lu	(Ayant)	eu été aimé fini senti reçu rendu lu

Tableau récapitulatif de la formation des temps simples dérivés de l'indicatif présent et de l'infinitif présent

Temps	Étape 1	Étape 2
Indicatif imparfait	– prendre la 1re pers. du plur. de l'indicatif présent, – enlever le **–ons**, – remplacer par **-ais**, **-ais**, **-ait**, **-ions**, **-iez**, **-aient**.	
Impératif présent	– prendre la 2e pers. du sing. de l'indicatif présent,	• enlever le **tu**, • enlever le **s** aux verbes se terminant par un **e**;
	– prendre la 1re pers. du plur. de l'indicatif présent,	• enlever le **nous**;
	– prendre la 2e pers. du plur. de l'indicatif présent,	• enlever le **vous**.
Subjonctif présent	– prendre la 3e pers. du plur. de l'indicatif présent,	• enlever le **–ent**, • remplacer par **-e**, **-es**, **-e**, **-ent**, • mettre **que** ou **qu'** devant le pronom;
	– prendre la 1re pers. du plur. de l'indicatif présent,	• enlever le **–ons**, • remplacer par **–ions**, **–iez**, • mettre **que** devant le pronom.
Participe présent	– prendre la 1re pers. du plur. de l'indicatif présent,	• enlever le **–ons**, • remplacer par **–ant**.
Indicatif futur simple	– enlever le **r** (verbes en –er, –ir), le **re** (verbes en –re), le **oir** (verbes en –oir) de l'infinitif présent, – remplacer par **-rai**, **-ras**, **-ra**, **-rons**, **-rez**, **-ront**.	
Conditionnel présent	– enlever le **r** (verbes en –er, –ir), le **re** (verbes en –re), le **oir** (verbes en –oir) de l'infinitif présent, – remplacer par **-rais**, **-rais**, **-rait**, **-rions**, **-riez**, **-raient**.	

CHAPITRE 4
Les mots (lexicologie)

Page

Les mots de même famille

Pour que des mots appartiennent à la même famille, ils doivent remplir deux conditions :

— posséder **un radical commun**, c'est-à-dire une suite de lettres identiques.

Ex. : **Étu**diant ⟶ **étu**dier ⟶ **étu**de.

Terre ⟶ at**terr**ir ⟶ en**terr**ement ⟶ **terr**estre.

— posséder **un sens commun**, c'est-à-dire que les mots soient unis entre eux par leur sens.

Ex. : *Bouche* et *boucherie* ne sont pas des mots de même famille, car il n'y a pas de rapport de sens entre les deux mots; *bouche* et *bouchée* sont des mots de même famille, car les deux mots ont un rapport de sens.

Remarque. — Les **préfixes** et les **suffixes** aident souvent à former des mots de même famille.

Ex. : Dommage, dommage**able**, **en**dommager, **en**dommage**ment**, **dé**dommage**ment**, etc.

Les synonymes, les antonymes, les homonymes

■ SYNONYMES :

Des mots qui ont à peu près **le même sens**.

Ex. : Beau — joli
Enfant — gamin
Haïr — détester

■ ANTONYMES :

Des mots qui **s'opposent par le sens**.

Ex. : Beau — laid
Enfant — vieillard
Haïr — aimer

■ HOMONYMES :

Des mots qui **se prononcent de la même manière**, mais qui **ne s'écrivent pas de la même manière**.

Ex. : Ver, verre, vert, vers;
Chair, cher, chère, chaire.

N.B. — Lorsqu'on cherche le synonyme ou l'antonyme d'un mot, il faut toujours trouver un mot **de même nature** que le mot de départ.

Ex. : Nom ⟶ nom.
Adjectif ⟶ adjectif.
Verbe ⟶ verbe.
Adverbe ⟶ adverbe.

La formation de certains adverbes en -ment

■ MARCHE À SUIVRE :

— **prendre l'adjectif qualificatif;**

— **le mettre au féminin;**

— **ajouter -ment.**

Ex. : Heureux → heureuse → heureusement.
Naïf → naïve → naïvement.
Trompeur → trompeuse → trompeusement.

N.B. — La plupart des adjectifs terminés par **i** ou **u** ne prennent pas de **e** devant le **-ment**.

Ex. : Joli → joliment.
Résolu → résolument.
Vrai → vraiment.
Absolu → absolument.

— Certains adverbes prennent un accent aigu sur le **e** qui précède le **-ment**.

Ex. : Profond → profonde → profondément.
Énorme → énorme → énormément.

Les adjectifs terminés en -ant:

— **enlever le -ant;**

— **remplacer par -amment.**

Ex. : Brillant → brill → brillamment.

Les adjectifs terminés en -ent:

— **enlever le -ent;**

— **remplacer par -emment.**

Ex.: Ardent ⟶ ard ⟶ ardemment.

N.B. — Ce ne sont pas tous les mots qui se terminent en **-ment** qui sont des adverbes. Plusieurs sont des noms.

Ex.: Rafraîchissement (un), boniment (un), affranchissement (un).

— Pour savoir si un mot se terminant en **-ment** est un adverbe, il faut qu'il forme un adjectif quand on enlève le **-ment**.

Ex.: **Honnêtement** est un adverbe car, en enlevant le **-ment**, j'obtiens l'adjectif *honnête*.

Les préfixes et les suffixes

■ LES PRÉFIXES :

Particules qui **se placent devant** le radical d'un mot pour en modifier le sens.

Ex.: **in, im** — **In**sensible, **im**patience, **im**puni;
re, ré — **Re**touche, **re**mâcher, **ré**organiser;
dé, dés, dis — **Dé**placer, **dés**organiser, **dis**continuer;
ex — **Ex**patrier, **ex**porter;
bi, bis — **Bi**pède, **bis**annuel;
etc.

■ LES SUFFIXES :

Particules qui **se placent après** le radical d'un mot pour en modifier le sens.

Ex.: — **Suffixes servant à former des noms**:
-ade — Brav**ade**, noy**ade**, fusill**ade**;
-age — Balay**age**, pass**age**, dress**age**;
-aison — Pend**aison**, livr**aison**, conjug**aison**;
-issage — Pol**issage**, vern**issage**, atterr**issage**;
-erie — Bijout**erie**, machin**erie**, ling**erie**;
-ise — Gourmand**ise**, hant**ise**, vantard**ise**;
-iste — Dent**iste**, chim**iste**, garag**iste**;
etc.

— **Suffixes servant à former des adjectifs**:
-able — Aim**able**, palp**able**, val**able**;
-al — Glaci**al**, vit**al**, monument**al**;
-el — Natur**el**, annu**el**, accident**el**;
-if — Craint**if**, hât**if**, sport**if**;
-ique — Histor**ique**, humorist**ique**;
etc.

N.B. — Les préfixes et les suffixes servent à former des **mots de même famille**.

Le sens propre et le sens figuré

■ SENS PROPRE :

— c'est le **sens premier** du mot;

— il traduit généralement **une réalité concrète**.

Ex. : Sa plaie **saignait** abondamment.
Ce printemps, la rivière **a débordé**.
Il nettoie ce mur avec une **éponge**.
Je lui ai acheté un **casse-tête** pour sa fête.

■ SENS FIGURÉ :

— c'est le **sens imagé** du mot;

— il traduit généralement **une réalité abstraite**.

Ex. : Ces enfants **ont saigné** leur pauvre mère.
Cette secrétaire **déborde** de travail.
Nous passerons l'**éponge** sur sa faute.
Cette affaire constitue un véritable **casse-tête**.

Remarques. — C'est le contexte de la phrase qui nous informe du sens propre ou du sens figuré d'un mot.

— Le dictionnaire peut nous aider à déterminer le sens propre ou le sens figuré d'un mot : le sens figuré vient toujours après le sens propre et il est souvent indiqué par l'abréviation **fig.**

CHAPITRE 5

Les signes de ponctuation

Page

Le point (.)

■ LES EMPLOIS DU POINT :

— **À la fin d'une phrase déclarative** ou **impérative** pour indiquer qu'une idée est complètement développée.

Ex. : J'ai prêté un livre à Denise.

Ne prends pas l'autobus.

N.B. — **Le mot** qui vient **après un point** marquant la fin d'une phrase commence par une **majuscule**.

Ex. : Pierre a étudié toute la nuit. Demain, il passera son examen de français. Nul doute qu'il va le réussir.

— **À la fin d'une abréviation** quand la dernière lettre de l'abréviation est différente de la dernière lettre du mot qu'on abrège.

Ex. : Mll**e** = Mademoisell**e**
M. = monsieu**r**
E**x.** = exempl**e**
Boul. = boulevar**d**
Lté**e** = limité**e**

Le point d'interrogation (?)

■ L'EMPLOI DU POINT D'INTERROGATION :

— **À la fin d'une phrase interrogative** pour indiquer qu'**une question** est posée et qu'on attend une réponse.

Ex. : Viendra-t-il aujourd'hui?

Est-ce que tu peux m'aider?

N.B. — **Le mot** qui vient **après un point d'interrogation** placé à la fin d'une phrase commence par une **majuscule**.

Ex. : Est-il arrivé le premier? J'ai hâte de le savoir.

Le point d'exclamation (!)

■ LES EMPLOIS DU POINT D'EXCLAMATION :

— **À la fin d'une phrase exclamative** ou **impérative** pour exprimer un sentiment de joie, d'admiration, de surprise, de colère, etc.

Ex.: *Quel* travail fantastique! (Admiration)
Allez-vous-en! (Colère)
Vous êtes arrivé premier! (Surprise)
Un mal de dent, *que* ça fait mal! (Douleur)
Comme je suis content de te voir! (Joie)

N.B. — Certains mots comme *quel*, *que*, *comme*, etc. renforcent l'expression du sentiment dans la phrase.

— **Après une interjection** comme *ah! oh! hélas! ouf! hourra! eh bien! holà! bravo! adieu! allô!* etc.

Ex.: *Ah!* qu'il est splendide ce film!
Hélas! Martin a encore échoué!

N.B. — Dans une phrase comportant une interjection, on met deux points d'exclamation: un après l'interjection, l'autre à la fin de la phrase.

— **Après une onomatopée**, c'est-à-dire après un mot qui imite un bruit.

Ex.: Il marchait *et, plouf!* il tomba à l'eau.
Et *crac!* la branche cassa.

N.B. — Dans une phrase comportant une onomatopée, on met seulement un point d'exclamation après l'onomatopée.

Remarque. — **Le mot** qui vient **après un point d'exclamation placé à l'intérieur d'une phrase** commence par une **minuscule**; celui qui vient **après le point d'exclamation placé à la fin d'une phrase** commence par une **majuscule**.

La virgule (,)

■ LES EMPLOIS DE LA VIRGULE :

— Pour **séparer les éléments semblables d'une énumération.**

Ex. : *Denis*, *Mario*, *Joëlle* et *Sonia* ont assisté au spectacle.

Une pluie *glaciale*, *abondante*, *persistante* tombait.

Mélanie aime *skier*, *nager*, *courir*.

N.B. — La conjonction *et* remplace la virgule dans une énumération.

— Pour **mettre en relief un complément circonstanciel placé au début d'une phrase.**

Ex. : *Demain*, il viendra me voir.

Chez lui, les amis sont toujours bien reçus.

— Pour **isoler un mot mis en apostrophe.**

Ex. : *Chantal*, viens ici.

Toi, peux-tu répondre à cette question?

N.B. — Un mot est mis en apostrophe quand il sert à **nommer la personne à qui l'on s'adresse.**

— Pour **encadrer une apposition**, c'est-à-dire un mot ou un groupe de mots qui vient donner de l'information sur un nom placé devant lui.

Ex. : Robert Bourassa, *premier ministre du Québec*, est présentement en vacances.

Suzanne, *ma sœur cadette*, habite en Floride.

— Pour **encadrer une proposition incise**, c'est-à-dire une courte proposition comprenant un verbe de parole et un sujet inversé et située à l'intérieur ou à la fin de la phrase.

Ex.: « Messieurs, *dit-il*, ne prêtez pas attention à cet homme. »

« Venez avec nous », *implorèrent les enfants.*

N.B. — **Il ne faut jamais mettre de virgule entre**:

- l'adjectif qualificatif et le nom qu'il qualifie.

  Ex.: Le sapin [x] bleu.

- le nom et le complément de ce nom.

  Ex.: Un sac [x] de bonbons.

- le sujet et le verbe.

  Ex.: Le lion [x] rugit.

- le verbe et son complément.

  Ex.: J'écris [x] un mot.

Les deux points (:)

■ LES EMPLOIS DES DEUX POINTS:

— **Devant une citation** (quand on rapporte les paroles de quelqu'un).

Ex.: Martine m'a demandé: « *Pourrais-je te voir?* »

Remarques. — Une citation est annoncée par un **verbe de parole** comme *dire*, *demander*, *crier*, *répondre*, etc.

— Une citation est encadrée de **guillemets** (« »).

— **Devant une énumération** (les éléments de l'énumération viennent détailler, préciser un terme placé devant).

Ex.: Tous mes amis étaient présents: *Pierre*, *Jean*, *René*, *Louise.* (*Pierre*, *Jean*, *René*, *Louise* viennent préciser le terme *amis.*)

Cette caisse contenait beaucoup de billets: *des dix*, *des vingt*, *des cinquante et même des cent.* (*Des dix*, *des vingt... des cent* viennent préciser le terme *billets.*)

— **Devant une explication.**

Ex.: Travaillez, ne lâchez pas: *il faut finir ce soir.*

Tous ses efforts ne visaient qu'un but: *réussir.*

Remarques. — Très souvent, les deux points qui annoncent une explication peuvent être remplacés par *car*, *en effet*.

Ex.: Cet homme s'est suicidé: *il ne pouvait pas vivre seul.* (Cet homme s'est suicidé, *car...*)

— **Le mot** qui vient **après les deux points** commence par une **minuscule, sauf s'il s'agit d'une citation.** Dans ce dernier cas, des guillemets suivent les deux points.

Ex. : Toute la famille était rassemblée : le père, la mère et les enfants.

Jésus a dit : « Laissez venir à moi les petits enfants. »

Les guillemets (« »)

■ LES EMPLOIS DES GUILLEMETS :

— Pour **encadrer une citation.**

Ex. : Pierre dit :[1] «[2]Je veux t'épouser.»[3]

— Pour **encadrer un mot** ou un groupe de mots **d'origine étrangère** ou **employé de façon impropre.**

Ex. : Je me sens «cool».

Vous avez payé cette montre vingt dollars! Vous vous êtes fait «fourrer» mon ami.

— Pour **encadrer un titre.**

Ex. : Avez-vous lu le roman «Terre des hommes» de Saint-Exupéry?

«Soleil de nuit» est un film que je vous recommande fortement.

---

1. Une **citation** encadrée de guillemets est toujours **précédée des deux points.**
2. Après **les deux points suivis de guillemets**, on met toujours une **majuscule.**
3. Le signe de **ponctuation à la fin de la citation** se place **à l'intérieur des guillemets.**

Le tiret (—)

■ LES EMPLOIS DU TIRET :

— Pour **mettre en évidence un mot** ou un groupe de mots dans une phrase.[1]

Ex. : Mélanie a remporté une médaille — l'or — au quatre cents mètres libre.

— Pour **indiquer le changement d'interlocuteur** dans un dialogue.

N.B. — Le tiret se place en début de phrase, chaque fois qu'un des interlocuteurs prend la parole.

Ex. : — Allo!

— Bonjour. Pourrais-je parler à Marcel?

— Marcel est absent actuellement. Il est en voyage et il ne reviendra que la semaine prochaine. Voulez-vous laisser un message?

— Non, merci. Je rappellerai à son retour. Au revoir, madame.

— Au revoir, monsieur.

— Pour **poser des jalons énumératifs**.

Ex. : Nous étudierons les règles suivantes :

— l'accord du participe passé;
— l'accord du verbe avec son sujet.

---

1. Les **parenthèses** remplissent un peu le même rôle que les tirets dans cet emploi, sauf qu'on les utilise davantage pour isoler une information supplémentaire, un détail plus ou moins important.

Ex. : Toute la famille (Fido compris) était partie en voyage!

Tableau récapitulatif des signes de ponctuation

■ LE POINT (.) :

— **à la fin d'une phrase déclarative** ou **impérative**;

— **à la fin d'une abréviation** quand la dernière lettre de l'abréviation est différente de la dernière lettre du mot abrégé.

■ LE POINT D'INTERROGATION (?) :

— **à la fin d'une phrase où on pose une question.**

■ LE POINT D'EXCLAMATION (!) :

— **à la fin d'une phrase exclamative** ou **impérative** qui exprime un sentiment de joie, de colère, etc.;

— **après une interjection** comme *ah! ouf! hélas!* etc.;

— **après une onomatopée** (un mot qui reproduit un bruit).

■ LA VIRGULE (,) :

— pour **séparer les éléments semblables** d'une énumération;

— pour **mettre en relief un complément circonstanciel placé en début de phrase**;

— pour **isoler un mot mis en apostrophe** (la personne à qui on s'adresse);

— pour **encadrer une apposition** (un mot ou un groupe de mots qui précise un nom placé devant lui);

— pour **encadrer une proposition incise** (une courte proposition comprenant un verbe de parole et un sujet inversé et située à l'intérieur ou à la fin de la phrase).

suite →

■ **LES DEUX POINTS (:) :**

— **devant une citation** (on rapporte les paroles de quelqu'un);

— **devant une énumération**;

— **devant une explication** (les deux points ont le sens de *car*, *en effet*).

■ **LES GUILLEMETS (« ») :**

— pour **encadrer une citation** (les paroles de quelqu'un);

— pour **encadrer un mot d'origine étrangère** ou **employé de façon impropre**;

— pour **encadrer un titre** (livre, film, etc.).

■ **LE TIRET (—) :**

— pour **mettre en évidence un mot** ou un groupe de mots dans une phrase;

— pour **indiquer le changement d'interlocuteur** dans un dialogue;

— pour **poser des jalons énumératifs**.

CHAPITRE 6
La phrase

Les formes de phrases

Une phrase peut être à la forme **affirmative** ou **négative**.

■ LA FORME AFFIRMATIVE :

Elle exprime qu'un fait est, qu'une action s'accomplit.

Ex. : Les chats sont des carnassiers.
Je lave mon auto.

■ LA FORME NÉGATIVE :

Elle exprime qu'un fait n'est pas, qu'une action ne s'accomplit pas.

Ex. : Il n'est pas un voyou.
Tu ne dis rien.

■ MOYEN DE LES RECONNAÎTRE :

La forme négative est toujours **accompagnée de l'adverbe de négation** *ne* ou *n'* **suivi d'un mot comme** *pas*, *plus*, *jamais*, *rien*, *point*, etc.

Remarques. — On oublie souvent d'employer le mot *ne* ou *n'* dans une phrase négative.

Ex. : Il partira pas. (Usage fautif)
Il *ne* partira *pas*. (Usage correct)

— Les expressions *ne... pas*, *ne... point*, etc. encadrent le verbe lorsqu'il est employé à un temps simple.

Ex. : Nous *ne* **sortons** *jamais*.

— Les expressions *ne... pas*, *ne... plus*, etc. encadrent l'auxiliaire lorsque le verbe est employé à un temps composé.

Ex. : Il *n'* ***a*** *plus* bu depuis que sa femme est morte.

Les types de phrases

Il existe quatre types de phrases: **déclarative, interrogative, exclamative, impérative.**

■ LA PHRASE DÉCLARATIVE:

— on constate, on déclare quelque chose;

— elle **se termine par un point** (.).

Ex.: Tu manges trop.
Manon donne des cours en informatique.

■ LA PHRASE INTERROGATIVE:

— on pose une question;

— elle **se termine par un point d'interrogation** (?).

Ex.: Manges-tu?
Manon donne-t-elle des cours en informatique?

■ LA PHRASE EXCLAMATIVE:

— on exprime un sentiment, une émotion;

— elle **se termine par un point d'exclamation** (!).

Ex.: Comme tu manges!
Ah! Manon donne des cours en informatique!

■ LA PHRASE IMPÉRATIVE:

— on exprime un ordre, une défense;

— elle **se termine par un point** (.) ou **un point d'exclamation** (!) selon que l'ordre est donné avec plus ou moins d'insistance.

Ex.: Mange donc!

Manon, donne des cours en informatique.

Remarque. — Les quatre types de phrases peuvent être à la forme affirmative ou négative.

Ex.: Tu manges ⟷ Tu ne manges pas.

Manges-tu? ⟷ Ne manges-tu pas?

Comme tu manges! ⟷ Comme tu ne manges pas!

Mange donc! ⟷ Ne mange donc pas!

La phrase interrogative

■ DÉFINITION :

La phrase interrogative est une phrase dans laquelle **on pose une question** et qui se termine par un point d'interrogation.

■ MOYENS DE TRANSFORMATION D'UNE PHRASE DÉCLARATIVE EN PHRASE INTERROGATIVE :

— **mettre** *est-ce que* **devant le sujet et le verbe**;

Ex. : Les enfants jouent. *Est-ce que* les enfants jouent?

Elle viendra. *Est-ce qu'*elle viendra?

— **inverser le sujet** :

- quand **le sujet est un pronom**, prendre le pronom placé devant le verbe et le mettre après celui-ci;

  Ex. : *Tu* viendras. Viendras-*tu*?

  On l'aimait. L'aimait-*on*?

- quand **le sujet est un nom**, ajouter après le verbe le pronom *il*, *ils*, *elle* ou *elles*, selon le genre et le nombre du nom sujet.

  Ex. : Pierre court. Pierre court-*il*?

  La fillette pleurait. La fillette pleurait-*elle*?

— **changer** seulement **la ponctuation** :

- **remplacer le point** placé à la fin de la phrase déclarative **par un point d'interrogation**.

  Ex. : Vous souriez. Vous souriez?

■ L'EMPLOI DU TRAIT D'UNION ENTRE LE VERBE ET LE SUJET :

— si le verbe se termine par un **t** ou un **d**, on ajoute simplement **un trait d'union**;

Ex. : Es**t**-elle malade?

Écouteron**t**-ils?

Mor**d**-il?

— si le verbe se termine par un **e** ou un **a**, on ajoute simplement **un t encadré de deux traits d'union** (-t-).

Ex. : Pierre mang**e**-*t*-il?

Partir**a**-*t*-elle?

La proposition

■ DÉFINITION :

La proposition est **un ensemble constitué d'un verbe conjugué et des éléments qui s'y rapportent.**

GS GV GC
Ex. : *Les enfants* ***se lançaient*** *des balles de neige.*

■ LES ÉLÉMENTS CONSTITUANTS DE LA PROPOSITION :

- **un groupe verbe (GV)** seul;

GV
Ex. : ***Travaillons.***

— **un groupe sujet (GS) + un groupe verbe (GV);**

GS GV
Ex. : *Les élèves* ***ont réussi.***

— **un groupe sujet (GS) + un groupe verbe (GV) + un groupe attribut (GA);**

GS GV GA
Ex. : *Marie* ***semblait*** *très heureuse de ses résultats.*

— **un groupe sujet (GS) + un groupe verbe (GV) + un groupe complément (GC).**

GS GV GC
Ex. : *Ce chauffeur de taxi* ***aura causé*** *un grave accident.*

Remarque. — Une proposition peut contenir plus qu'un groupe sujet, groupe verbe, groupe attribut ou groupe complément.

N.B. — Une phrase contient autant de propositions que de verbes conjugués, c'est-à-dire des verbes ayant un sujet.[1]

S

Ex.: *Louise* ***pratique*** la natation tous les jours.
(Une proposition)

S S

Si *Louise* ***pratique*** tous les jours, *elle* ***réussira.***
(Deux propositions)

S

Louise ***aime*** pratiquer tous les jours.
(Une proposition, car il n'y a qu'un seul verbe conjugué.)

S S

Si *Louise* ***pratique*** tous les jours et si *elle* ne se ***décourage***

S

pas, *elle* ***réussira*** à devenir une championne en natation.
(Trois propositions, car il y a trois verbes conjugués.)

---

1. Seuls **les verbes à l'infinitif et au participe ne sont pas des verbes conjugués.**

CHAPITRE 7

Les signes graphiques

Page

Les accents

■ L'ACCENT AIGU (´):

— il se place sur la voyelle **e**;

— il sert à former le son [**é**].

Ex.: Qu**é**bec, **é**t**é**, v**é**rit**é**.

■ L'ACCENT GRAVE (`):

— il peut se placer sur les voyelles **e**, **a**, **u**;

— placé sur le **e**, il sert à former le son [**è**];

Ex.: Rem**è**de, pi**è**ge, plan**è**te.

— placé sur le **a** ou le **u**, il peut permettre de distinguer des homophones.

Ex.: A, à; la, là; ou, où.

■ L'ACCENT CIRCONFLEXE (^):

— il peut se placer sur toutes **les voyelles**, **sauf le y**;

— il peut permettre de distinguer des homophones;

Ex.: Sur, sûr; du, dû.

— il peut servir à modifier la prononciation d'une syllabe en allongeant la voyelle;

Ex.: B**â**tir, b**a**teau; m**ê**me, m**è**ne.

— il peut simplement tenir la place d'une lettre disparue, le plus souvent un **s** ou un **e**.

Ex.: H**ô**pital, ho**s**pitaliser; ga**î**té, gai**e**té.

Remarque. — Une voyelle accentuée n'est jamais suivie de consonnes doubles, à l'exception de châssis et des mots de sa famille.

Ex.: Affûter; appâter; mûrir; chaîne.

L'apostrophe (')

— Elle remplace les lettres **e** ou **a** dans des mots comme *le*, *la*, *je*, *me*, *te*, *se*, *ce*, *que*, *de*, *ne*, etc. et le **i** de *si* dans *s'il*;

— elle est utilisée **devant un mot commençant par une voyelle** ou **un h muet.**[1]

Ex.: Le arbre = l'arbre; l**a** ombre = l'ombre;

Si il = s'il; qu**e** elle = qu'elle;

L**e** **h**abit = l'habit; l**a** **h**erbe = l'herbe;

1. — Un **h** est **muet** quand on peut mettre *l'* devant.

Ex.: **H**eure (l'heure); **h**éritage (l'héritage).

— Un **h** est **aspiré** quand on peut mettre *le* ou *la* devant.

Ex.: **H**éros (le héros); **h**anche (la hanche).

La cédille (ç)

Pour mettre une cédille sous le **c**, il faut **deux conditions**:

— **le c doit se prononcer [se]**;

— **le c** doit être **suivi** des voyelles **a**, **o**, **u**.

Ex.: Garç**o**n, glaç**o**n, Franç**o**is, franç**a**is, fianç**a**illes, traç**a**it, reç**u**, aperç**u**, gerç**u**re.

N.B. — Pour se rappeler des voyelles devant lesquelles le **c** prend une cédille, penser au mois d'**aoû**(t).

Le trait d'union

■ LES PRINCIPAUX EMPLOIS DU TRAIT D'UNION :

— Dans certains **mots composés.**

Ex. : Grand-père, assurance-chômage, faire-part.

— Dans une phrase interrogative, **entre le verbe et le pronom sujet** placé après.[1]

Ex. : As-*tu* menti?

Le verrons-*nous*?

Souriait-*il*?

— Dans une phrase impérative, **entre le verbe et le pronom personnel complément** placé après.

Ex. : Prête-*moi* ce crayon.

Cet exercice, fais-*le*.

— Dans les expressions comprenant les particules *ci* ou *là* **placées après un nom ou un pronom.**

Ex. : Cet homme-*ci*; celle-*là*; ces livres-*là*.

---

1. Quand le verbe se termine par une voyelle (**a** ou **e**) et qu'il est suivi du pronom sujet *il*, *elle* ou *on*, on doit ajouter un **t encadré de deux traits d'union** entre le verbe et le pronom sujet.

Ex. : Ir**a**-*t*-elle à Québec?

Chant**e**-*t*-il dans la chorale?

— Entre les pronoms personnels *moi*, *toi*, *soi*, *lui*, *eux*, *elle*, *elles*, *nous*, *vous* et le déterminant indéfini *même*.

Ex.: Il effectuera lui-*même* les réparations.

Eux-*mêmes* l'ignoraient.

— Dans les déterminants numéraux, pour **séparer les éléments des nombres plus petits que 100** et non unis par *et*.

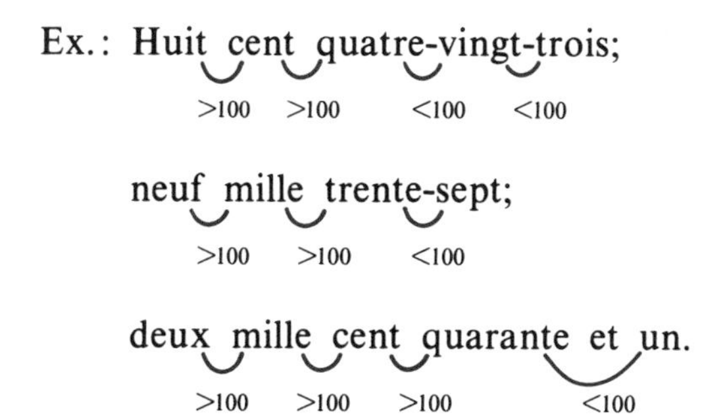

Le tréma (¨)

— Il est formé de **deux points** que l'on peut placer sur les voyelles suivantes: **e, i, u.**

— Il sert à indiquer que, dans la prononciation, la voyelle qui vient juste avant le tréma doit être prononcée de façon distincte.

Ex.: Naïf (na/if); cocaïne (co/ca/i/ne); Joël (Jo/el);
maïs (ma/is); aiguë (ai/gu); Saül (Sa/ul).

CHAPITRE 8

Règles orthographiques

Page

Le s et le ss entre deux voyelles

■ ENTRE DEUX VOYELLES :

— **un** *s* se prononce [**ze**].

Ex. : Case; désert; poison.
[ze] [ze] [ze]

— **deux** *s* se prononcent [**se**].

Ex. : Casser; dessert; poisson.
[se] [se] [se]

Le g dur et le g doux

■ DISTINCTION :

— **le g dur** :
- il se prononce [**gue**];
- il s'emploie **devant a, o, u**.

  Ex. : A**ga**cer, **go**belet, dé**gu**ster.

— **le g doux** :
- il se prononce [**je**];
- il s'emploie **devant e, i, y**.

  Ex. : **Ge**lée, a**gi**lité, **gy**mnaste.

■ CONVERSION DU G DOUX EN G DUR :

Ajouter un **u après le g devant** les voyelles **e** et **i**.

Ex. : Na**guè**re, **gui**tare.

■ CONVERSION DU G DUR EN G DOUX :

Ajouter un **e après le g devant** les voyelles **a, o, u**.

Ex. : Man**gea**ble, bour**geo**n, ga**geu**re.

■ TABLEAU RÉCAPITULATIF :

LE *G* DUR [GUE]		LE *G* DOUX [JE]	
g + a	(lan**ga**ge)	g + e	(**ge**ntiment)
g + o	(é**go**ïste)	g + i	(lo**gi**s)
g + u	(lu**gu**bre)	g + y	(**gy**nécologue)
gu + e	(**guê**pe)	ge + a	(man**gea**ille)
gu + i	(**gui**chet)	ge + o	(**Geo**rges)
		ge + u	(ga**geu**re)

Remarque. — Les verbes en **-guer** conservent l'**u** dans toute leur conjugaison, peu importe la voyelle qui suit le *g*.

Ex.: Je navi**gue**, nous navi**guo**ns, je navi**gua**is, nous navi**gui**ons.

Le m devant m, p, b

On met *m* devant les consonnes ***m***, ***p***, ***b***.

Ex.: Conso**mm**ateur, e**mm**ener.

Tro**mb**one, tre**mb**ler.

Po**mp**ier, a**mp**le.

Exceptions: bo**nb**on, bo**nb**onnière, bo**nb**onne; embo**np**oint, néa**nm**oins.

N.B. — Quatre des cinq exceptions renferment la syllabe -*bon*.

Les noms terminés par le son [é]

■ LES NOMS MASCULINS :

— **Certains se terminent en -er;**

Ex. : Un dossi**er**, le pompi**er**, l'orang**er**.

N.B. — Les noms d'arbres et les noms de métiers se terminent généralement en **-er**.

— **Certains se terminent en -é;**

Ex. : Un foss**é**, le th**é**.

— **Quelques-uns ont une orthographe particulière.**

Ex. : Un n**ez**, un pi**ed**, un troph**ée**, un mus**ée**.

■ LES NOMS FÉMININS :

Ils s'écrivent **-ée, sauf**:

— les noms *clé* et *acné*;

— **les noms terminés en -tié**;

Ex. : La moi**tié**, une ami**tié**.

— **les noms terminés en -té**[1];

Ex. : Une quali**té**, la liber**té**, la bon**té**.

---

1. Seuls quelques noms en **-té** qui viennent d'un verbe, comme *portée* (porter), *dictée* (dicter), etc., et les noms qui expriment un contenu comme *assiettée*, *brouettée*, etc. prennent un **e** à la fin.

Les noms terminés par les sons [i], [u]

■ LES NOMS TERMINÉS PAR LE SON [i] :

— **Les noms féminins**:

Ils prennent un **e**.

Ex.: Une garant**ie**, une am**ie**, une calor**ie**.

Exceptions: une *fourmi*, une *brebis*, une *souris*, une *perdrix*, une *nuit*.

— **Les noms masculins**:

Un mot de même famille indique souvent (pas toujours) la lettre finale du nom.

Ex.: Un permi**s** (permission), un fusi**l** (fusiller), un réci**t** (réciter).

■ LES NOMS TERMINÉS PAR LE SON [U] :

— **Les noms féminins**:

Ils prennent un **e**.

Ex.: Une charr**ue**, une aven**ue**, une rev**ue**.

Exceptions: une *bru*, une *vertu*, la *glu*, une *tribu*.

— **Les noms masculins**:

Un mot de même famille indique souvent (pas toujours) la lettre finale du nom.

Ex.: Un abu**s** (abuser), un débu**t** (débuter), un refu**s** (refuser).

Les noms terminés par les sons [ou], [eu], [eur], [our], [oir]

■ LES NOMS TERMINÉS PAR LE SON [OU]:

— **Les noms féminins**:

Ils s'écrivent **-oue**.

Ex.: Une r**oue**, la h**oue**.

Exception: une *toux*.

— **Les noms masculins**:

- la plupart s'écrivent **-ou**;

  Ex.: Un voy**ou**, un s**ou**, un caill**ou**.

- parfois (pas toujours) un mot de même famille indique la lettre finale du nom.

  Ex.: Le goû**t** (goû**t**er), le bou**t** (abou**t**ir).

■ LES NOMS TERMINÉS PAR LE SON [EU]:

— **Les noms féminins**:

Ils s'écrivent **-eue**.

Ex.: La banli**eue**, une li**eue**.

— **Les noms masculins**:

Ils s'écrivent **-eu**.

Ex.: Un essi**eu**, le pn**eu**, un av**eu**.

■ LES NOMS TERMINÉS PAR LE SON [EUR]:

Ils s'écrivent **-eur**, **sauf** *beurre*, *demeure*, *heure* et *leurre*.

Ex.: La fraîch**eur**, une tum**eur**, un jou**eur**.

■ LES NOMS TERMINÉS PAR LE SON [OUR] :

Ils s'écrivent **généralement -our**, **sauf** *cours* et ses composés : *discours*, *parcours*, *secours*, *concours*, *recours*.

Ex. : Une c**our**, un f**our**, un dét**our**.

■ LES NOMS TERMINÉS PAR LE SON [OIR] :

— **Les noms féminins** :

Ils s'écrivent **-oire**.

Ex. : Une balan**çoire**, une arm**oire**.

— **Les noms masculins** :

Ils s'écrivent généralement **-oir**.

Ex. : Un dort**oir**, un gratt**oir**, un compt**oir**.

Exceptions : *accessoire*, *auditoire*, *ciboire*, *conservatoire*, *déboire*, *interrogatoire*, *ivoire*, *laboratoire*, *observatoire*, *oratoire*, *promontoire*, *réfectoire*, *répertoire*, *territoire*, *réquisitoire*, etc.

N.B. — À l'exception de *noir*, tous les adjectifs qualificatifs qui se terminent par le son [**oir**] s'écrivent **-oire**.

Ex. : Un exercice préparat**oire**.

Les verbes du 1er groupe à particularités orthographiques

■ LES VERBES EN -CER :

Ils prennent une **cédille sous le c** devant les voyelles **a** et **o**.

Ex. : J'avanç**a**is; nous lanç**o**ns; ils agac**e**nt; nous berc**i**ons.

■ LES VERBES EN -GER :

Ils prennent un **e** devant les voyelles **a** et **o**.

Ex. : Il forge**a**it; nous nage**o**ns; vous mang**e**z; vous corrig**i**ez.

■ LES VERBES EN -AYER :

Ils peuvent changer le **y** en **i** devant un **e muet**[1].

Ex. : Je balai**e** ou je balay**e**; nous pay**o**ns; vous effray**ez**.

■ LES VERBES EN -OYER ET EN -UYER :

Ils changent le **y** en **i** devant un **e muet**.

Ex. : Tu envoi**e**s; il appui**e**ra; nous broy**o**ns; vous essuy**e**z.

■ LES VERBES EN -EYER :

Ils conservent toujours le **y**.

Ex. : Tu grassey**e**s; il grassey**e**ra; nous grassey**o**ns.

---

1. Le **e muet** est un **e** qui ne se prononce pas, mais qui, s'il était prononcé, se prononcerait [e].

   N.B. — Suivi d'un **r** ou d'un **z**, le **e** n'est pas muet, car il se prononce [é].
   Ex. : nag**er** [é]; part**ez** [é].

■ LES VERBES EN -ELER ET EN -ETER :

Ils doublent le **l** ou le **t** devant un **e muet**.

Ex. : Appel**er**; j'appell**e**; j'appel**ais**; nous appell**e**rons.

Jet**er**; je jett**e**; je jet**ais**; nous jett**e**rons.

N.B. — Quelques verbes comme *geler*, *peler*, *acheter*, etc. ne doublent pas le **l** ou le **t** devant un **e muet**, mais s'écrivent avec un **accent grave** sur le **e**.

Ex. : Je gèl**e**; je pèl**e**rai; tu achèt**es**; il époussèt**e**ra.

Les verbes du 3e groupe à particularités orthographiques

■ LES VERBES EN -AÎTRE ET EN -OÎTRE DE MÊME QUE PLAIRE, DÉPLAIRE ET COMPLAIRE:

Ils prennent un accent circonflexe sur le **i** du radical quand celui-ci est suivi d'un **t**.

Ex.: Il conna**î**t; il cro**î**t; il pla**î**t; nous para**î**trons; tu dispara**i**ssais.

N.B. — Le verbe *croître* conserve l'accent circonflexe chaque fois qu'il peut être confondu avec le verbe *croire* ou qu'il est suivi d'un **t**.

Ex.: Tu cro**î**s en sagesse; tu cro**i**s en Dieu.
Il cro**î**tra.

■ LES VERBES EN -DRE:

Ils conservent le **d** au présent de l'indicatif et de l'impératif.

Ex.: Je ven**d**s; tu cou**d**s; il pon**d**; pren**d**s.

Exceptions: — les verbes en **-indre**;

Ex.: J'éteins; il craint; peins.

— les verbes en **-soudre**.

Ex.: Il absout; dissous.

■ LES VERBES EN -PRE:

Ils conservent le **p** au présent de l'indicatif et de l'impératif.

Ex.: Je rom**p**s; il interrom**p**t; corrom**p**s.

■ **LES VERBES EN -CRE :**

Ils conservent le **c** au présent de l'indicatif et de l'impératif.

Ex. : Je convain**c**s; il vain**c**.

■ **LES VERBES EN -INDRE (-aindre, -eindre, -oindre) :**

Ils perdent le **n** devant la graphie **gn**.

Ex. : Craindre = je crains, vous crai**gn**iez;

peindre = il peindra, tu pei**gn**ais;

joindre = nous joindrions, ils joi**gn**irent.

Les principaux emplois de la majuscule

Après les signes de ponctuation suivants quand ceux-ci terminent la phrase:

— **le point;**

Ex.: Elle partit à l'aube. **D**ehors, le vent sifflait.

— **le point d'interrogation;**

Ex.: Où est le balai? **I**l est dans le placard.

— **le point d'exclamation;**

Ex.: Comme tu es grande! **Q**uel âge as-tu?

— **le point de suspension.**

Ex.: J'ai reçu une lettre de... **L**isez-la.

N.B. — **À l'intérieur d'une phrase**, on ne met **jamais de majuscule** après un signe de ponctuation, **sauf après les deux points suivis de guillemets.**

Ex.: Elle lui a répondu: « **V**a chez le diable! »

Au début des mots qui désignent les noms propres suivants:

— **un nom propre de personne ou d'animal;**

Ex.: **L**emire, **C**hantal, **C**oco, **M**ilou.

— **un nom propre de lieu**: rue, ville, comté, région, province, pays, lac, rivière, montagne, etc.;

Ex.: **M**ontréal, les **C**antons de l'**E**st, l'**O**ntario,
le lac **L**ouise, les montagnes **R**ocheuses, etc.

— **un nom propre de peuple, de population, de race;**

Ex.: Un **G**ranbyen, un **Q**uébécois, un **N**oir, etc.

N.B. — Employés comme adjectifs qualificatifs, ces mots ne prennent pas de majuscule.

Ex.: Le drapeau **c**anadien, l'équipe **r**usse, la race **n**oire.

— **un nom de fête;**

Ex.: **N**oël, **P**âques, l'**H**alloween.

— **un nom de publication, d'ouvrage, d'oeuvre d'art, de place publique, d'institution, d'association;**

Ex.: **L**a **P**resse, **L**e **M**atou, la **J**oconde, le **F**orum, la **C**ommission scolaire des **C**antons, la **C**entrale de l'enseignement du Québec.

— **Madame, Monsieur** employés seuls ou devant **un nom de fonction dans une formule de politesse.**

Ex.: Veuillez agréer, **M**onsieur, mes salutations...

Je vous écris, **M**adame la **P**résidente, pour...

CHAPITRE 9
Règles d'accord

Page

Le nom:

L'adjectif qualificatif:

Le verbe:

Les déterminants :

Le féminin des noms

■ RÈGLE GÉNÉRALE :

On ajoute un e au nom masculin.

Ex. : Ami = ami**e**; commerçant = commerçant**e**.

■ RÈGLES PARTICULIÈRES :

— **Les noms en -e**[1] : e → e.

Ex. : Élèv**e** = élèv**e**; artist**e** = artist**e**.

— **Les noms en -er** : er → ère.

Ex. : Berg**er** = berg**ère**; prisonni**er** = prisonni**ère**.

— **Les noms en -x** : x → se.

Ex. : Religieu**x** = religieu**se**; épou**x** = épou**se**.

— **Les noms en -f** : f → ve.

Ex. : Jui**f** = jui**ve**; veu**f** = veu**ve**.

— **Les noms en -eur** : eur → euse.

Ex. : March**eur** = march**euse**; pêch**eur** = pêch**euse**.

---

1. On forme le féminin de certains **noms en -e** en ajoutant **sse**.

Ex. : Hôt**e** = hôte**sse**; ân**e** = âne**sse**.

— **Les noms en -teur**[2]:

- teur → teuse.

  Ex.: Men**teur** = men**teuse**; chan**teur** = chan**teuse**.

- teur → trice.

  Ex.: Audi**teur** = audi**trice**; ama**teur** = ama**trice**.

— **Les noms à féminin particulier**:

Ex.: *Loup* = *louve*, *père* = *mère*, *gendre* = *bru*, etc.

---

2. Les **noms en -teur** que l'on peut remplacer par un participe présent font leur féminin en **-teuse**; les autres, que l'on ne peut pas remplacer par un participe présent, font leur féminin en **-trice**.

Ex.: Visi**teur** (visitant) = visi**teuse**; indica**teur** (≠indicatant) = indica**trice**.

Le féminin des noms présentant des difficultés orthographiques

— **Les noms en -en** et **en -on**: en ⟶ enne; on ⟶ onne.

Ex.: Citoy**en** = citoy**enne**; li**on** = li**onne**.

N.B. — À l'exception de *Jean*, de *paysan* et des noms en **-en** et en **-on**, les noms qui se terminent par un **n** ne doublent pas le **n**.

Ex.: Git**an** = git**ane**; América**in** = América**ine**; cous**in** = cous**ine**.

— **Les noms en -et**: et ⟶ ette.

Ex.: Cad**et** = cad**ette**; poul**et** = poul**ette**.

Exception: *préfet* = *préfète*.

N.B. — À l'exception de *chat*, de *sot* et des noms en **-et**, les noms qui se terminent par un **t** ne doublent pas le **t**.

Ex.: Candid**at** = candid**ate**; idi**ot** = idi**ote**.

— **Les noms en -el**: el ⟶ elle.

Ex.: Jo**ël** = Jo**ëlle**; colon**el** = colon**elle**.

N.B. — Les noms en **al** ne doublent pas le **l**.

Ex.: Margin**al** = margin**ale**.

Le pluriel des noms simples

■ RÈGLE GÉNÉRALE :

On ajoute un s au nom singulier.

Ex. : Livre = livre**s**; banc = banc**s**.

■ RÈGLES PARTICULIÈRES :

— **Les noms en -s**, en **-x** et en **-z**: s ⟶ s; x ⟶ x; z ⟶ z.

Ex.: Souris = souri**s**; choi**x** = choi**x**; ne**z** = ne**z**.

— **Les noms en -au**: au ⟶ aux.

Ex.: Tuy**au** = tuy**aux**; marte**au** = marte**aux**.

Exceptions: *landau(s)*; *sarrau(s).*

— **Les noms en -eu**: eu ⟶ eux.

Ex.: Chev**eu** = chev**eux**; enj**eu** = enj**eux**.

Exceptions: *pneu(s)*; *bleu(s).*

— **Les noms en -ou**: ou ⟶ ous.

Ex.: Carib**ou** = carib**ous**; écr**ou** = écr**ous**.

Exceptions: *bijou(x), caillou(x), chou(x), genou(x), hibou(x), joujou(x), pou(x).*

— **Les noms en -al**: al ⟶ aux.

Ex.: Mét**al** = mét**aux**; sign**al** = sign**aux**.

Exceptions: *bal(s), carnaval(s), festival(s), récital(s), régal(s), cérémonial(s), chacal(s).*

— **Les noms en -ail**: ail → ails.

Ex.: Chand**ail** = chand**ails**; gouvern**ail** = gouvern**ails**.

Exceptions: *bail (baux), corail (coraux), émail (émaux), vitrail (vitraux), travail (travaux), soupirail (soupiraux).*

N.B. — Les noms *aïeul, ciel* et *oeil* font *aïeux, cieux* et *yeux* au pluriel.

Le pluriel des noms composés

■ LES NOMS COMPOSÉS ÉCRITS EN UN SEUL MOT :

L'accord suit la règle des noms simples.

Ex. : Des portemanteau**x**; des passeport**s**.

■ LES NOMS COMPOSÉS ÉCRITS EN PLUSIEURS MOTS :

L'accord varie selon la nature des mots qui les composent.

— **L'adjectif qualificatif**: généralement variable.

Ex. : Des *basses*-cours; des coffres-*forts*.

— **Le nom**:

- s'il est le premier élément du nom composé, il varie généralement;

  Ex. : Des *timbres*-poste; des *oiseaux*-mouches.

- s'il est le deuxième élément du nom composé, il varie à moins que le sens ne s'y oppose;

  Ex. : Des lave-*autos* (pour laver les autos).
  Des timbres-*poste* (des timbres pour la poste).
  Des lave-*vaisselle* (pour laver la vaisselle).
  Des couvre-*lits* (pour couvrir les lits).

- si les deux noms sont séparés par une préposition, le premier seulement varie.

  Ex. : Des chefs-***d'****oeuvre*; des arcs-***en***-*ciel*.

— **Le verbe**: toujours invariable.

Ex. : Des *essuie*-mains; des *porte*-avions.

— **Les autres mots**: toujours invariables.

Ex.: Des *rendez-vous*; des *hors*-jeu.

Remarque. — Les noms composés comprenant le mot *garde*:

- si le nom composé désigne une personne, le mot *garde* est variable;

  Ex.: Des *gardes*-chasse.

- si le nom composé désigne une chose, le mot *garde* est invariable.

  Ex.: Des *garde*-robes.

Les indicateurs du nombre du nom

■ LES DÉTERMINANTS :

Certains déterminants sont toujours suivis d'un nom singulier; d'autres, d'un nom pluriel.

SINGULIER	PLURIEL
le, la, l', un, une, du;	les, des;
mon, ton, son, ma, ta, sa;	mes, tes, ses;
notre, votre;	nos, vos;
ce, cet, cette;	ces;
chaque, aucun, aucune.	plusieurs;
	deux... cinq... huit... etc.

■ LES INDICES PHONÉTIQUES :

— Les formes différentes de certains mots variables nous informent sur le nombre du nom;

Ex. : Quel *génér**al*** était à la retraite?
Quels *génér**aux*** étaient à la retraite?
Quel *peintre géni**al***!
Quels *peintres géni**aux***!
Quel *voisin ser**a*** présent?
Quels *voisins ser**ont*** présents?

— La liaison.

Ex. : Quel ‿ *ami* avait-il?
Quels ‿ *amis* avait-il?
[z]

■ LE SENS DE LA PHRASE:

— Le contexte peut nous informer du nombre du nom.

Ex.: Ce monsieur Duguay, quel *type* charmant!

Pierre et Paul, quels *types* charmants!

N.B. — **Le complément du nom** se met généralement au singulier ou au pluriel selon qu'il désigne un être ou un objet qui se compte ou pas.

Ex.: Une bouteille de vi**n**; une bouteille de pilule**s**.

Un tas de foi**n**; un tas de pierre**s**.

L'accord de l'adjectif qualificatif

■ AVEC UN SEUL NOM :

Il se met au même genre et au même nombre que le nom.

fém. sing. fém. plur.

Ex. : Une chemise *bleue*; des pommes *dures*.

■ AVEC PLUSIEURS NOMS :

— **L'adjectif se met au masculin pluriel;**

- L'adjectif se rapporte à **plusieurs noms masculins;**

masc. sing. masc. sing. masc. plur.

Ex. : Un orme et un bouleau *feuillus*.

- L'adjectif se rapporte à **des noms de genres différents.**

fém. sing. masc. sing. masc. plur.

Ex. : Une robe et un pantalon *neufs*.

— **L'adjectif se met au féminin pluriel.**

- L'adjectif se rapporte à **plusieurs noms féminins.**

fém. sing. fém. sing. fém. plur.

Ex. : Une rue et une avenue *étroites*.

L'accord de l'adjectif désignant la couleur

L'adjectif qualificatif désignant la couleur peut être **variable** ou **invariable** selon qu'il est un adjectif simple, un adjectif composé ou un nom employé comme adjectif.

■ L'ADJECTIF SIMPLE :

Il **varie en genre et en nombre** avec le nom qu'il qualifie.

Ex. : Des haricots *verts*; des vestes *grises*.

■ L'ADJECTIF COMPOSÉ :

Il reste **invariable** et il ne prend **pas de trait d'union** entre les différents éléments qui le composent.

Ex. : Des rubans *rouge vif*; des pois *vert tendre*.

■ LE NOM EMPLOYÉ COMME ADJECTIF :

Il reste **invariable**.

Ex. : Des complets *marron*; des murs *orange*.

Exceptions : *écarlate*, *mauve*, *pourpre* et *rose*.

Ex. : Des tentures *mauves*.

L'accord de l'adjectif verbal

Remarque. — L'adjectif verbal est un adjectif qui **vient d'un verbe** et qu'on risque de confondre avec le participe présent, car **l'un et l'autre se terminent par le son [an]**.

Ex.: Il était là, *suant* à grosses gouttes. (Participe présent)

Ce fut un discours *brillant*. (Adjectif verbal)

■ MOYEN DE LES RECONNAÎTRE:

— **Le participe présent**:

- il est souvent précédé de la préposition **en**;
- il peut avoir des compléments;
- il ne peut pas se mettre au féminin quand on remplace le nom auquel il se rapporte par un nom féminin.

Ex.: C'est **en** *forgeant* qu'on devient forgeron.

c.c.l.

Tous les témoins *passant* à la barre racontèrent la même version des faits.
(On ne peut pas dire: Toutes les femmes *passantes* à la...)

c.o.i.

Les malades *souffrant* de nausées seront examinés.
(On ne peut pas dire: Les patientes *souffrantes* de nausées...)

— **L'adjectif verbal**:

- il peut se mettre au féminin quand on remplace le nom auquel il se rapporte par un nom féminin;
- il peut être remplacé par un adjectif qualificatif.

Ex.: N'empruntez pas les chemins *glissants.*
(On peut dire: N'empruntez pas les «routes» *glissantes.*)

Ce récit est *plaisant.*
(On peut remplacer *plaisant* par «ennuyeux».)

■ RÈGLE D'ACCORD:

— **Le participe présent**:

Il est toujours **invariable.**

Ex.: Les chasseurs, *nettoyant* leurs armes, pensaient à leur prochaine expédition.

— **L'adjectif verbal**:

Il **s'accorde** en genre et en nombre avec le nom qu'il qualifie.

Ex.: C'est une rue *passant**e**.*

Il a tenu des propos *menaçants.*

Le féminin des adjectifs

■ RÈGLE GÉNÉRALE :

On ajoute un e à l'adjectif masculin.

Ex.: Glissant = glissant**e**; poli = poli**e**.

■ RÈGLES PARTICULIÈRES :

— **les adjectifs en -e**: e → e.

Ex.: Larg**e** = larg**e**; honnêt**e** = honnêt**e**.

— **les adjectifs en -er**: er → ère.

Ex.: Étrang**er** = étrang**ère**; fi**er** = fi**ère**.

— **les adjectifs en -x**: x → se.

Ex.: Ennuyeu**x** = ennuyeu**se**; jalou**x** = jalou**se**.

— **les adjectifs en -f:** f → ve.

Ex.: Bre**f** = brè**ve**; neu**f** = neu**ve**.

— **les adjectifs en -eur:** eur → euse.

Ex.: Ri**eur** = ri**euse**; song**eur** = song**euse**.

Exceptions: *intérieur(e), extérieur(e), supérieur(e), inférieur(e), majeur(e), mineur(e)* et *meilleur(e).*

— **Les adjectifs en -teur**[1]:

- teur → teuse.

  Ex.: Men**teur** = men**teuse**; promet**teur** = promet**teuse**.

- teur → trice.

  Ex.: Créa**teur** = créa**trice**; innova**teur** = innova**trice**.

— **Les adjectifs à féminin particulier**:

Ex.: Dou**x** = dou**ce**; fau**x** = fau**sse**; rou**x** = rou**sse**;
blan**c** = blan**che**; fran**c** = fran**che**; se**c** = sè**che**;
ba**s** = ba**sse**; gra**s** = gra**sse**; la**s** = la**sse**;
gro**s** = gro**sse**; épai**s** = épai**sse**; méti**s** = méti**sse**;
frai**s** = fraî**che**.

---

1. **Les adjectifs en -teur** que l'on peut remplacer par un participe présent font leur féminin en **-teuse**; les autres, que l'on ne peut pas remplacer par un participe présent, font leur féminin en **-trice**.

   Ex.: Flat**teur** (flattant) = flat**teuse**; créa**teur** (≠créatant) = créa**trice**.

Le féminin des adjectifs présentant des difficultés orthographiques

— **Les adjectifs en -en** et **en -on**: en → enne; on → onne.

Ex.: Itali**en** = itali**enne**; b**on** = b**onne**.

N.B. — À l'exception de *paysan* et des adjectifs en **-en** et en **-on**, les adjectifs qui se terminent par un **n** ne doublent pas le **n**.

Ex.: Pers**an** = pers**ane**; lat**in** = lat**ine**;
jamaïca**in** = jamaïca**ine**; br**un** = br**une**.

— **Les adjectifs en -et**: et → ette.

Ex.: Mu**et** = mu**ette**; viol**et** = viol**ette**.

Exceptions: *complet (ète), incomplet (ète), discret (ète), indiscret (ète), secret (ète), inquiet (ète), concret (ète), désuet (ète), replet (ète).*

N.B. — À l'exception de *sot*, de *pâlot*, de *vieillot* et des adjectifs en **-et**, les adjectifs qui se terminent par un **t** ne doublent pas le **t**.

Ex.: Dév**ot** = dév**ote**; ingr**at** = ingr**ate**; pet**it** = pet**ite**.

— **Les adjectifs en -el** et **en -eil**: el → elle; eil → eille.

Ex.: Patern**el** = patern**elle**; v**ieil**[1] = v**ieille**.

1. *Vieil*, *bel*, *nouvel*, *fol* et *mol* s'emploient quand le nom qui les suit commence par une voyelle ou un *h* muet; devant un nom commençant par une consonne ou un *h* aspiré, on emploie *vieux*, *beau*, *nouveau*, *fou* et *mou*.

Ex.: Un *bel* animal, un *beau* costume; un *vieil* **h**ôpital, un *vieux* **h**ibou.

N.B. — À l'exception de *nul*, de *gentil*, de *fol*, de *mol* et des adjectifs en **-el** et en **-eil**, les adjectifs qui se terminent par un **l** ne doublent pas le **l**.

Ex.: Ban**al** = ban**ale**; vir**il** = vir**ile**.

— **Les adjectifs en -c**: c → que.

Ex.: Publi**c** = publi**que**; tur**c** = tur**que**.

Exception: *grec* = *grecque*.

Le pluriel des adjectifs

■ RÈGLE GÉNÉRALE :

On ajoute un s à l'adjectif singulier.

Ex. : Joli = joli**s**; intéressant = intéressant**s**; fou = fou**s**.

■ RÈGLES PARTICULIÈRES :

— **Les adjectifs en -s** et en **-x**: s ⟶ s; x ⟶ x.

Ex. : Gros = gro**s**; joyeu**x** = joyeu**x**.

— **Les adjectifs en -au**: au ⟶ aux.

Ex. : Be**au** = be**aux**; nouve**au** = nouve**aux**.

— **Les adjectifs en -al**: al ⟶ aux.

Ex. : Origin**al** = origin**aux**; mondi**al** = mondi**aux**.

Exceptions: *banal(s), fatal(s), final(s), natal(s), naval(s).*

N.B. — Deux adjectifs se terminent en **-eu**: *hébreu* et *bleu.* On forme le pluriel du premier en ajoutant un *x* (*hébreux*); on forme le pluriel du second en ajoutant un *s* (*bleus*).

L'accord du verbe avec son sujet

■ ACCORD DU VERBE AVEC UN SUJET :

Le verbe possédant un seul sujet se met toujours à la **3e personne du singulier ou du pluriel**, à moins que le sujet soit *je*, *tu*, *nous* ou *vous*.

N.B. — Pour trouver le sujet, on pose avant le verbe la question « *Qui est-ce qui?* » ou « *Qu'est-ce qui?* ».

3e p.p.

Ex. : Les fourmis *travaillent* sans relâche.

2e p.s.

Ex. : *Aimes*-tu la pizza?

3e p.s. 3e p.p.

Le professeur *corrige* pendant que les élèves *étudient*.

1re p.s. 3e p.s.

Je *sais* qu'il ne *boit* plus.

■ ACCORD DU VERBE AVEC PLUSIEURS SUJETS :

— **Les sujets sont à la même personne** :

- le verbe se met à la **3e personne du pluriel**.

3e p.p.

Ex. : Normand et Mélanie *chantent* une berceuse.

3e p.p.

Mes parents et mes amis *viendront*.

— **Les sujets sont à des personnes différentes**:

- le verbe se met **au pluriel à la personne qui a la priorité**:

  - la 1re l'emporte sur la 2e et la 3e;

    2e p.s. 1re p.s. 1re p.p.

    Ex.: Toi et moi *serons* contents.

    3e p.s. 1re p.s. 1re p.p.

    Pierre et moi *pensions* qu'il dormait.

  - la 2e l'emporte sur la 3e.

    3e p.s. 2e p.s. 2e p.p.

    Ex.: Elle et toi *ferez* le voyage.

La ou les lettres finales des verbes selon leur personne

■ 1re PERSONNE DU SINGULIER :

Le verbe prend toujours un **s**, sauf s'il se termine par un **e** ou le son [**é**].

Ex. : Je fini**s**; je vendai**s**; j'attrap**e**; que je rougiss**e**; j'**ai** [**é**]; je finir**ai** [**é**].

Exceptions: je *veux*; je *peux*; je *vaux*.

■ 2e PERSONNE DU SINGULIER :

Le verbe prend toujours un **s**, sauf à l'impératif présent quand il se termine par un **e**.

Ex. : Tu achète**s**; tu recevra**s**; tu soutirai**s**; vien**s** (impératif); cueill**e** (impératif); travaill**e** (impératif).

Exceptions: tu *veux*; tu *peux*; tu *vaux*; *va* (impératif).

■ 3e PERSONNE DU SINGULIER :

Le verbe prend toujours un **t**, sauf s'il se termine par un **e** ou un **a**.

Ex. : Il doi**t**; il faisai**t**; il couru**t**; il cherch**e**; qu'il vienn**e**; il haïr**a**; il parl**a**.

Exceptions: — **Les verbes en -dre, qui se terminent par un d** (sauf ceux en **-indre** et en **-soudre**);

Ex. : Il ven**d**; il mor**d**; il crain**t** (cra**indre**); il disso**ut** (dis**soudre**).

— **les verbes en -cre, qui se terminent par un c.**

Ex. : Il vain**c**; il convain**c**.

■ 1re PERSONNE DU PLURIEL :

Le verbe se termine en **-ons**, sauf le verbe *être* à l'indicatif présent (nous *sommes*) et les verbes au passé simple qui se terminent en **-es**.

Ex. : Nous menti**ons**; nous bâtiss**ons**; nous lir**ons**; nous aimâm**es**; nous reçûm**es**.

■ 2e PERSONNE DU PLURIEL :

Le verbe se termine en **-ez**, sauf le verbe *être* à l'indicatif présent (vous *êtes*) et les verbes *dire* et *faire* à l'indicatif présent (vous *dites*, vous *faites*) et à l'impératif présent (*dites*, *faites*), ainsi que les verbes au passé simple qui se terminent en **-es**.

Ex. : Vous nag**ez**; vous verr**ez**; que vous soy**ez**; vous fait**es**; dit**es**; vous finît**es**; vous chantât**es**.

■ 3e PERSONNE DU PLURIEL :

Le verbe se termine en **-ent** ou en **-ont**.

Ex. : Ils disai**ent**; ils dorm**ent**; ils **ont**; ils partir**ont**.

Le mot écran

■ DÉFINITION :

Le mot écran est un **pronom complément** que l'on prend souvent pour le sujet parce qu'il est situé juste **avant le verbe**.

S

Ex. : Je *vous* rappellerai ce soir.

↳Mot écran : c'est un pronom complément (c.o.d.).

S

Ils *nous* aideront.

↳Mot écran : c'est un pronom complément (c.o.d.).

■ MOYEN DE LE RECONNAÎTRE :

— C'est **un pronom** : *le*, *la*, *les*, *nous*, *vous*, etc. ;

— Il est situé juste **avant le verbe** ;

— Il est complément d'objet direct (**c.o.d.**) ou complément d'objet indirect (**c.o.i.**).

S c.o.d.

Ex. : Ma soeur *les* aide.

S c.o.i.

Elles *nous* parleront.

L'accord avec le pronom relatif « qui »

■ ACCORD DU VERBE AVEC LE PRONOM QUI :

Le verbe se met à la même personne et au même nombre que le nom ou le pronom remplacé par *qui.*

Ex. : C'est *moi qui* écout**ais** sur la ligne.

1re p.s. → 1re p.s.

C'est *toi qui* **es** arrivé premier?

2e p.s. → 2e p.s.

Les *joueurs qui* s'entraîn**aient** suaient à grosses gouttes.

3e p.p. → 3e p.p.

■ ACCORD DE L'ADJECTIF AVEC LE PRONOM QUI :

L'adjectif se met au même genre et au même nombre que le nom ou le pronom remplacé par *qui.*

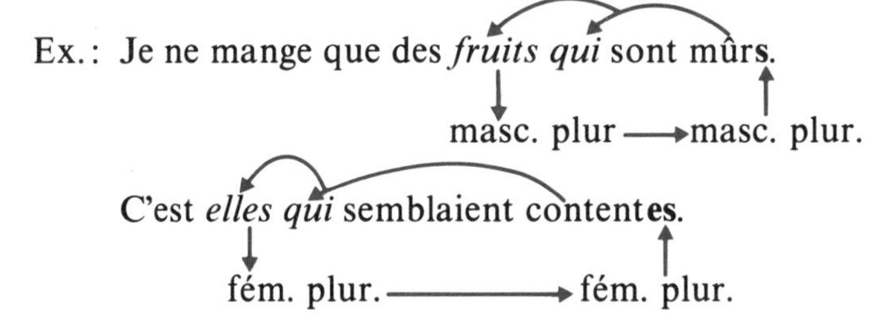

L'accord du verbe avec un nom collectif

■ DÉFINITION DU NOM COLLECTIF :

C'est un **mot qui désigne un ensemble**, une collection de personnes, d'animaux ou d'objets.

Ex. : Peuple, famille, foule, troupeau, tas.

■ RÈGLE D'ACCORD :

— **L'accord du verbe avec un nom collectif seul :**

C'est **le nombre du nom collectif**, non son sens, qui détermine l'accord du verbe.

sing.

Ex. : Toute la *famille* se prépar**ait** à déménager.

N.B. — Il en est de même du pronom indéfini **on** dont le sens est pluriel, mais qui commande un accord du verbe à la **3e personne du singulier**.

Ex. : *On* travaill**e** fort en français.

— **L'accord du verbe avec un nom collectif suivi d'un complément du nom :**

- Quand le **nom collectif** est **précédé des articles** *le*, *la*, *l'*, **d'un déterminant démonstratif** ou **d'un déterminant possessif**, le verbe s'accorde généralement avec le nom collectif.

  Ex. : La *bande* de motards s'ét**ait** rassemblée dans le parc.

  Ce *troupeau de* vaches brout**ait** dans le champ.

- Quand le **nom collectif** est **précédé des articles** *un* ou *une*, le verbe s'accorde soit avec le nom collectif, soit avec son complément selon que c'est l'un ou l'autre qui accomplit l'action exprimée par le verbe.

Ex.: Une *liste* de noms vous parviendr**a** bientôt.

Un grand nombre de *cyclistes* ne respect**ent** pas les règles du savoir-vivre.

Le participe passé employé seul

■ MOYEN DE LE RECONNAÎTRE :

— C'est un verbe;

— **L'auxiliaire *être*** est toujours **sous-entendu**.

Ex. : Bien *bâtie*, une maison peut durer cent ans.
(***Étant*** bien *bâtie*, une maison...)

■ RÈGLE D'ACCORD :

Le participe passé employé seul **s'accorde en genre** (masculin ou féminin) et **en nombre** (singulier ou pluriel) **avec le nom ou le pronom** auquel il se rapporte.

fém. sing.

Ex. : *Blessée* au bras, elle ne pouvait plus tenir son marteau.
(***Étant*** *blessée* au bras, elle...)

fém. sing.

Ses retards lui ont valu une punition *méritée.*
(Ses retards... une punition qui ***était*** *méritée.)*

Le participe passé employé avec être

■ MOYEN DE LE RECONNAÎTRE :

— C'est un verbe;

— **L'auxiliaire *être*** est toujours placé **devant** lui.

Ex. : Les cyclistes ***sont*** *partis* tôt ce matin.

■ RÈGLE D'ACCORD :

Le participe passé employé avec *être* **s'accorde en genre** (masculin ou féminin) et **en nombre** (singulier ou pluriel) **avec le sujet** du verbe.

N.B. — Pour trouver le sujet du verbe, on pose avant le verbe la question « *Qui est-ce qui?* » ou « *Qu'est-ce qui?* »

S fém. sing.

Ex. : Ma lettre ***est*** ***demeurée*** sans réponse.

S masc. plur.

Ils ***sont*** ***revenus*** aujourd'hui.

Remarque. — Le participe passé employé avec un verbe d'état comme *paraître*, *sembler*, *demeurer*, *devenir*, *rester* s'accorde aussi avec le sujet du verbe.

S fém. sing.

Ex. : Cette couturière ***semblait*** ***surchargée*** de travail.

Le participe passé employé avec avoir

■ MOYEN DE LE RECONNAÎTRE :

— C'est un verbe;

— **L'auxiliaire *avoir*** est toujours placé **devant** lui.

Ex. : Cette orangeade, il l'***a*** *bue* d'un trait.

■ RÈGLE D'ACCORD :

Le participe passé employé avec *avoir* est toujours **invariable, sauf s'il y a un complément d'objet direct placé devant lui**. Dans ce dernier cas, il **s'accorde en genre** (masculin ou féminin) et **en nombre** (singulier ou pluriel) **avec le complément d'objet direct**.

N.B. — Pour trouver le complément d'objet direct, on pose la question « *qui?* » ou « *quoi?* » après le verbe.

c.o.d.
Ex. : Ils ***ont*** *réparé* la tondeuse.
(Invariable, car le c.o.d. suit le verbe.)

Elle ***a*** *voyagé* en Europe.
(Invariable, car il n'y a pas de c.o.d.)

fém. sing. c.o.d.
La femme *que* j'***ai*** ***vue*** était sa mère.
(Variable, car le c.o.d. précède le verbe : c'est *que* mis pour *femme*.)

— Quand le participe passé s'accorde avec le complément d'objet direct, il est **généralement précédé** des pronoms *le*, *la*, *les*, *l'*, *nous*, *vous*, *que* ou *qu'*.

Ex. : La poire, il ***l'***avait *mangée* au déjeuner.

Les gâteaux ***que*** tu nous as *servis* étaient savoureux.

Le participe passé à la forme pronominale

■ MOYEN DE LE RECONNAÎTRE :

— C'est un verbe;

— **L'auxiliaire** *être* **accompagné des pronoms** *me*, *m'*, *te*, *t'*, *se*, *s'*, *nous* ou *vous* **à la même personne que le sujet** est toujours placé **devant** lui.

Ex. : Elle s'est *blessée* en faisant du ski.

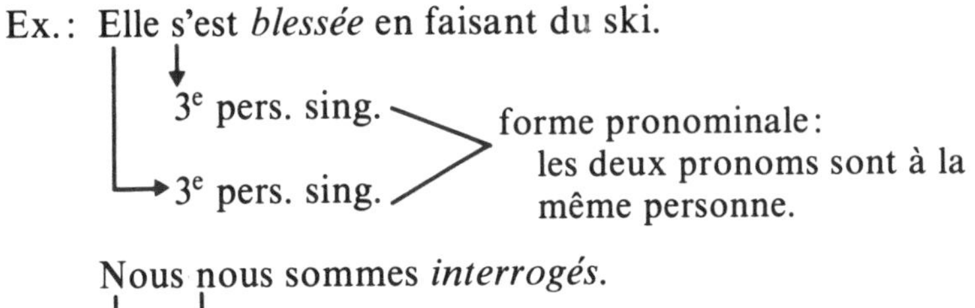

Nous nous sommes *interrogés*.

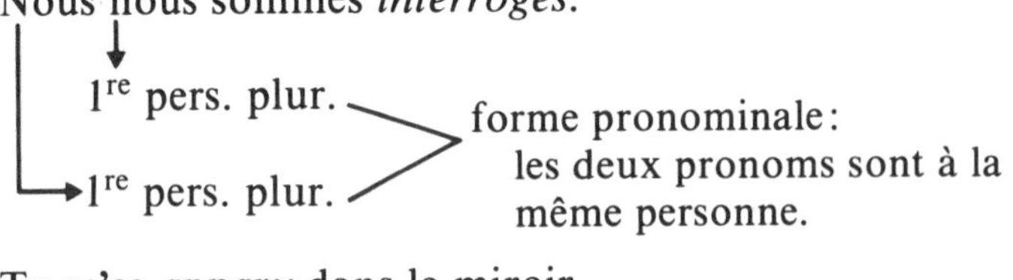

Tu m'es *apparu* dans le miroir.

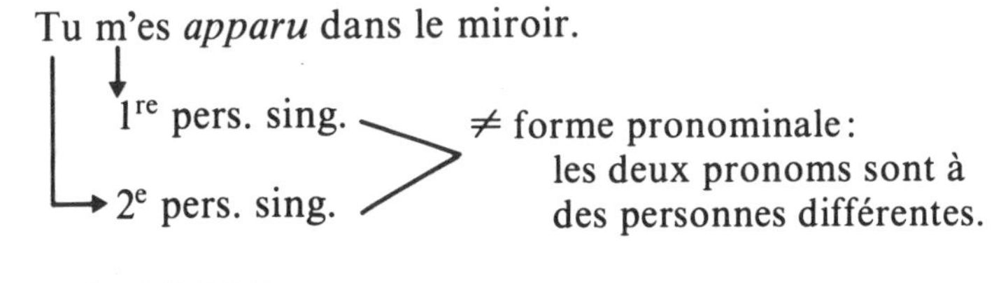

■ RÈGLE D'ACCORD :

— Quand **on peut remplacer l'auxiliaire** ***être*** **et le pronom devant** par «**lui + l'auxiliaire** ***avoir***», le participe passé à la forme pronominale demeure **invariable**.

Ex. : Elle **s'est** ***coupé*** le doigt.
(Je peux remplacer *s'est* par *lui a* et dire :
« Elle lui a coupé le doigt. » Donc, le participe passé est invariable.)

Elles **s'étaient** *posé* la question.
(Je peux remplacer *s'étaient* par *lui avaient* et dire :
« Elles lui avaient posé la question. » Donc, le participe passé est invariable.)

— Quand **on ne peut pas remplacer l'auxiliaire *être* et le pronom devant** par «**lui + l'auxiliaire *avoir***», le participe passé à la forme pronominale **s'accorde en genre** (masculin ou féminin) et **en nombre** (singulier ou pluriel) **avec le pronom complément d'objet direct** placé devant l'auxiliaire *être* **chaque fois que je ne peux pas remplacer ce pronom et l'auxiliaire** *être* **par « lui + l'auxiliaire** *avoir* »; il demeure **invariable quand je peux remplacer le pronom et l'auxiliaire** *être* **par « lui + l'auxiliaire** *avoir* ».

Ex.: Elle **s'est** *blessée.*
(Je ne peux pas remplacer *s'est* par *lui a* et dire:
« Elle lui a blessé. » Donc, le participe passé est variable.)

Ils **se sont** *évanouis.*
(Je ne peux pas remplacer *se sont* par *lui ont* et dire:
« Ils lui ont évanoui. » Donc, le participe passé est variable.)

Les déterminants homophones (à prononciation identique)

au	suivi d'un nom singulier	Je suis allé *au* marché. (sing.)
aux	suivi d'un nom pluriel	Je suis allé *aux* Galeries de Granby. (plur.)
certain	suivi d'un nom masculin singulier	J'ai eu un *certain* plaisir. (masc. sing.)
certains	suivi d'un nom masculin pluriel	*Certains* problèmes étaient faciles. (masc. plur.)
certaine	suivi d'un nom féminin singulier	Il avait une *certaine* crainte. (fém. sing.)
certaines	suivi d'un nom féminin pluriel	Je connais *certaines* réponses. (fém. plur.)
cet	suivi d'un nom masculin singulier	Qui a vu *cet* animal? (masc. sing.)
cette	suivi d'un nom féminin singulier	Mange *cette* pomme. (fém. sing.)
leur[1]	suivi d'un nom singulier	Ils ont vendu *leur* maison. (sing.)
leurs[1]	suivi d'un nom pluriel	Les arbres perdent *leurs* feuilles. (plur.)

1. Pour savoir si le déterminant *leur* et le nom qui le suit se mettent au singulier ou au pluriel, on met toute la phrase au singulier. Si à la place de *leur* j'obtiens *sa* ou *son*, je mets *leur* et le nom qui le suit au singulier; si j'obtiens *ses*, je les mets au pluriel.

   Ex.: Les enfants avaient mis *leur tuque* et *leurs mitaines*.
   L'enfant avait mis *sa* tuque et *ses* mitaines.

quel	suivi d'un nom masculin singulier	*Quel* jour sommes-nous? (masc. sing.)
quels	suivi d'un nom masculin pluriel	*Quels* élèves ont été choisis? (masc. plur.)
quelle	suivi d'un nom féminin singulier	*Quelle* belle femme! (fém. sing.)
quelles	suivi d'un nom féminin pluriel	*Quelles* merveilleuses vacances! (fém. plur.)
quelque	suivi d'un nom singulier	Je partirai pendant *quelque* temps. (sing.)
quelques	suivi d'un nom pluriel	J'ai acheté *quelques* livres. (plur.)
tout	suivi d'un nom masculin singulier	J'ai travaillé *tout* l'été. (masc. sing.)
tous	suivi d'un nom masculin pluriel	Il viendra *tous* les jours. (masc. plur.)
toute	suivi d'un nom féminin singulier	Tu as pleuré *toute* la nuit. (fém. sing.)
toutes	suivi d'un nom féminin pluriel	J'aime *toutes* les fleurs. (fém. plur.)

Remarque. — Comme le déterminant s'accorde généralement avec le nom qu'il accompagne, c'est donc le genre et le nombre de ce nom qui va déterminer l'orthographe grammaticale des déterminants présentés dans le tableau ci-dessus.

L'accord du déterminant numéral

■ RÈGLE D'ACCORD :

— Le déterminant numéral indiquant **le nombre**, **la quantité** est **invariable**, sauf **un** et parfois **vingt** et **cent**.

Ex. : Il avait les *quatre* as dans son jeu.

On comptait plus de *huit mille* personnes à ce rassemblement.

Remarque. — *Vingt* et *cent* sont **variables** quand les deux conditions suivantes sont remplies :

- ils sont **précédés d'un chiffre qui les multiplie**;
- **aucun chiffre ne les suit immédiatement**.

Ex. : Quatre-vingts; quatre-vingt-trois; six cents; six cent dix-huit.

— Le déterminant numéral indiquant **l'ordre, le rang s'accorde en genre et en nombre** avec le nom qu'il précise.

Ex. : Prenez la *première* route à droite.

Les *quinzièmes* Jeux olympiques ont eu lieu à Rome.

N.B. — *Millier*, *million* et *milliard* sont variables, car ce ne sont pas des déterminants numéraux mais des noms.

Ex. : Cette guerre a fait plusieurs *milliers* de victimes.

Nous sommes six *millions* de Québécois.

CHAPITRE 10

Les homophones

A, as, à

■ A:

— Nature: verbe *avoir* à l'indicatif présent, à la **3e personne du singulier**.

— Moyen de le reconnaître: **on peut le remplacer par** *avait*.

Ex.: Il *a* réussi son examen. (Il *avait* réussi...)

Sylvie *a* mal aux dents. (Sylvie *avait* mal...)

■ AS:

— Nature: verbe *avoir* à l'indicatif présent, à la **2e personne du singulier**.

— Moyen de le reconnaître:

- **on peut le remplacer par** *avais*;
- **il est toujours accompagné de** *tu*.

Ex.: Tu *as* vingt ans. (Tu *avais*...)

As-tu compris? (*Avais*-tu compris?)

■ À:

— Nature: mot invariable (préposition).

— Moyen de le reconnaître: **on ne peut pas le remplacer par** *avait*.

Ex.: Je vais *à* mon cours de français.
(On ne peut pas dire: Je vais *avait* mon cours...)

Il tarde *à* venir.
(On ne peut pas dire: Il tarde *avait* venir.)

Il cherche *à* économiser du temps.
(On ne peut pas dire: Il cherche *avait* économiser du temps.)

Ce, se

■ CE:

— Nature: déterminant démonstratif.

— Moyen de le reconnaître: **il est suivi d'un nom singulier.**

Ex.: *Ce* garçon étudie bien.

À qui appartient *ce* manteau?

■ CE:

— Nature: pronom démonstratif.

— Moyen de le reconnaître:

- **il est suivi du verbe** *être* **ou des pronoms** *qui*, *que*, *dont*;
- **on peut le remplacer par** *cela*.

Ex.: *Ce* sera ma fête demain

Montre-moi *ce* que tu veux. (Montre-moi *cela* que...)

■ SE:

— Nature: pronom personnel.

— Moyen de le reconnaître: **il est suivi d'un verbe** ou **de l'auxiliaire** *être*.

Ex.: Le vent commence à *se* lever.

Les joueurs *se* sont plaints à leur entraîneur.

Ces, ses, s'est, c'est, sais, sait

■ CES :

— Nature : déterminant démonstratif.

— Moyen de le reconnaître :

- **il est suivi d'un nom pluriel;**
- **il sert à montrer, à désigner ce qui le suit.**

Ex. : Regardez *ces* taches sur le mur.
(Les taches, je les montre, je les désigne.)

■ SES :

— Nature : déterminant possessif.

— Moyen de le reconnaître :

- **il est suivi d'un nom pluriel;**
- **il sert à indiquer que ce qui le suit appartient à quelqu'un.**

Ex. : Cette mère a perdu *ses* deux enfants.
(Les enfants appartiennent à la mère.)

■ S'EST :

— Nature : pronom personnel *s'* accompagné de l'auxiliaire *être* à la 3e personne du singulier.

— Moyen de le reconnaître :

- **il est suivi d'un verbe au participe passé;**
- **au pluriel,** *s'est* **devient** *se sont.*

Ex. : Il *s'est* levé tôt ce matin.
(Ils *se sont* levés tôt...)

■ C'EST :

— Nature : pronom démonstratif *c'* accompagné du verbe *être* à la 3e personne du singulier.

— Moyen de le reconnaître :

- **il n'est pas suivi d'un nom pluriel ou d'un verbe au participe passé;**
- **on peut le remplacer par** *cela est.*

Ex. : Comme *c'est* triste!
(Comme *cela est* triste!)
(*C'est* n'est pas suivi d'un nom pluriel ou d'un verbe.)

■ SAIS :

— Nature : verbe *savoir* à l'indicatif présent, à la **1re** et à la **2e personne du singulier**.

— Moyen de le reconnaître :

- **on peut le remplacer par** *savais*;
- **il est toujours accompagné de** *je* **ou** *tu.*

Ex. : Je *sais* son nom. (Je *savais*...)
Sais-tu pourquoi il n'est pas venu? (*Savais*-tu...?)

■ SAIT :

— Nature : verbe *savoir* à l'indicatif présent, à la **3e personne du singulier**.

— Moyen de le reconnaître :

- **on peut le remplacer par** *savait.*

Ex. : Jocelyn *sait* jouer du piano. (Jocelyn *savait*...)

Dans, d'en

■ DANS :

— Nature : mot invariable (préposition).

— Moyen de le reconnaître :

- **on peut le remplacer par** *dedans* ou *à l'intérieur de*, et il introduit un complément circonstanciel de **lieu**;
- **on peut le remplacer par** *d'ici*, et il introduit un complément circonstanciel de **temps**.

Ex. : L'oiseau construit son nid *dans* un arbre. (c.c.l. : arbre)
(L'oiseau... *dedans* un arbre.)

Je partirai en voyage *dans* une semaine. (c.c.t. : semaine)
(Je partirai... *d'ici* une semaine.)

■ D'EN :

— Nature : contraction de *de* et *en*.

— Moyen de le reconnaître : **il est placé devant un verbe à l'infinitif.**

N.B. — *D'en* se rencontre aussi dans quelques expressions comme *d'en haut*, *d'en bas*, *d'en face*, *d'en avant*, *d'en arrière*.

Ex. : J'ai hâte *d'en* finir avec ce travail.

Le voisin *d'en face* a été cambriolé.

N.B. — *Dent* **est un nom.**

Ex. : Il faut se brosser les *dents* après chaque repas.

Dont, donc

■ DONT:

— Nature: pronom relatif.

— Moyen de le reconnaître: **il est toujours précédé d'un nom ou d'un pronom** (l'antécédent).

Ex.: Quel est ce collège *dont* tu m'as parlé?

Parmi ces trophées, c'est celui-ci *dont* je suis le plus fier.

■ DONC[1]:

— Nature: mot invariable (conjonction).

— Moyen de le reconnaître:

- très souvent, **on peut l'enlever de la phrase** sans modifier le sens de celle-ci;
- parfois, **on peut le remplacer par** *par conséquent*.

Ex.: À quoi rêves-tu *donc*?
(À quoi rêves-tu?)

Chantal ne peut s'y rendre; Josée ira *donc* la remplacer.
(Josée ira, *par conséquent*, la remplacer.)

N.B. — *Don* **est un nom.**

Ex.: Tous les *dons* seront acceptés.

---

1. *Dont* se prononce [don]; *donc* se prononce [donk] quand il se trouve **en tête de proposition** ou **devant une voyelle**, mais il se prononce [don] dans les autres cas.

L'a, l'as, là, -là, la

■ L'A :

— Nature : pronom personnel *l'* accompagné du verbe *avoir* à l'indicatif présent, à la **3e personne du singulier**.

— Moyen de le reconnaître : **on peut le remplacer par** *l'avait.*

Ex. : Sylvie *l'a* mérité, son poste.
(Sylvie *l'avait* mérité...)

Elle ne *l'a* jamais vu venir.
(Elle ne *l'avait* jamais...)

■ L'AS :

— Nature : pronom personnel *l'* accompagné du verbe *avoir* à l'indicatif présent, à la **2e personne du singulier**.

— Moyen de le reconnaître :

- **on peut le remplacer par** *l'avais* ;
- **il est toujours accompagné de** *tu.*

Ex. : *L'as*-tu attendu longtemps?
(*L'avais*-tu attendu...?)

Tu *l'as* enfin réussi, ton examen.
(Tu *l'avais* enfin...)

■ LÀ :

— Nature : mot invariable (adverbe).

— Moyen de le reconnaître : **on peut le remplacer par** *ici.*

Ex. : Étendez-vous *là.*
(Étendez-vous *ici.*)

■ -LÀ :

— Nature : mot invariable (adverbe).

— Moyen de le reconnaître :

- **on peut le remplacer par** *-ci*;
- **il est précédé d'un nom** ou **d'un pronom démonstratif**.

Ex. : Pourquoi avez-vous choisi ce tableau-*là*?
(Pourquoi... ce tableau-*ci*?)
C'est celui-*là* que je veux.
(C'est celui-*ci* que...)

■ LA :

— Nature : article ou pronom personnel.

— Moyen de le reconnaître : **il est suivi d'un nom féminin singulier ou d'un verbe à un temps simple**[1].

Ex. : Je *la* trouve charmante *la* fille du maire.

Il *la* conduira chez elle après *la* soirée.

N.B. — *Las* **est un adjectif qualificatif** qui signifie *fatigué.*

Ex. : Le professeur était *las* de répéter les mêmes explications.

---

1. Un verbe à un temps simple est un verbe formé d'un seul mot, c'est-à-dire un verbe non accompagné de l'auxiliaire *être* ou *avoir*.

Leur, leur(s)

■ LEUR :

— Nature : pronom personnel.

— Moyen de le reconnaître :

- **il est toujours suivi d'un verbe;**
- **on peut le remplacer par** *lui.*

Ex. : Martin *leur* préparera une surprise.
(Martin *lui*...)

Je *leur* ai dit la vérité.
(Je *lui*...)

■ LEUR(S) :

— Nature : déterminant possessif.

— Moyen de le reconnaître : **il est suivi d'un nom.**

Ex. : Ils ont mangé *leur* laitue.

Les magasins fermeront *leurs* portes à Noël.

Remarque. — *Leur* peut aussi être précédé de *le*, *la*, *les*; *le leur*, *la leur*, *les leurs* sont des pronoms possessifs.

Ex. : Ma fille et *la leur* sont allées à la bibliothèque.

J'avais mes patins, mais ils avaient oublié *les leurs*.

Ma, m'a, m'as

■ MA:

— Nature: déterminant possessif.

— Moyen de le reconnaître: **il est suivi d'un nom féminin singulier.**

Ex.: Regardez *ma* camisole.

Elle a emprunté *ma* bicyclette.

■ M'A:

— Nature: pronom personnel *m'* accompagné du verbe *avoir* à l'indicatif présent, à la **3e personne du singulier.**

— Moyen de le reconnaître: **on peut le remplacer par** *m'avait.*

Ex.: Il *m'a* demandé où tu habitais.
(Il *m'avait* demandé...)

M'a-t-il dit la vérité?
(*M'avait*-il dit...?)

■ M'AS:

— Nature: pronom personnel *m'* accompagné du verbe *avoir* à l'indicatif présent, à la **2e personne du singulier.**

— Moyen de le reconnaître:

- **on peut le remplacer par** *m'avais*;
- **il est toujours accompagné de** *tu.*

Ex.: Tu *m'as* surpris agréablement.
(Tu *m'avais* surpris...)

M'as-tu reconnu dans ce costume?
(M'*avais*-tu reconnu...?)

Mes, mais, mets, met, m'est, m'es

■ MES :

— Nature : déterminant possessif.

— Moyen de le reconnaître : **il est suivi d'un nom pluriel.**

Ex. : J'ai apporté *mes* valises.

Mes devoirs sont terminés.

■ MAIS :

— Nature : mot invariable (conjonction).

— Moyen de le reconnaître : **on peut le remplacer par** *cependant.*

Ex. : Je viendrai, *mais* pas tout de suite.
(Je viendrai, *cependant*...)

J'essaie, *mais* je n'y arrive pas.
(J'essaie, *cependant* je...)

■ METS :

— Nature : verbe *mettre* à l'indicatif présent, à la **1re** et à la **2e personne du singulier**, ou à l'impératif présent, à la **2e personne du singulier**.

— Moyen de le reconnaître :

- à l'indicatif présent, **on peut le remplacer par** *mettais*; **il est toujours accompagné de** *je* ou *tu*;
- à l'impératif présent, **on peut le remplacer par** *mettez.*

Ex. : Je *mets* un chandail. (Je *mettais*...)

Tu n'y *mets* pas assez d'énergie!
(Tu n'y *mettais* pas...)

Mets un timbre sur l'enveloppe.
(*Mettez* un...)

■ **MET :**

— Nature: verbe *mettre* à l'indicatif présent, à la **3e personne du singulier**.

— Moyen de le reconnaître: **on peut le remplacer par** *mettait.*

Ex.: Pierre *met* un plat au four.
(Pierre *mettait*...)

■ **M'EST :**

— Nature: pronom personnel *m'* accompagné du verbe *être* à la **3e personne du singulier**.

— Moyen de le reconnaître: **on peut le remplacer par** *est... à moi.*

Ex.: Il *m'est* agréable de vous remettre ce prix.
(Il *est* agréable *à moi*...)

Sa culpabilité *m'est* apparue évidente.
(Sa culpabilité *est* apparue *à moi*...)

■ **M'ES :**

— Nature: pronom personnel *m'* accompagné du verbe *être* à la **2e personne du singulier**.

— Moyen de le reconnaître:

- **on peut le remplacer par** *es... à moi*;
- **il est toujours accompagné de** *tu.*

Ex.: *M'es*-tu entièrement dévoué?
(*Es*-tu entièrement dévoué *à moi*?)

Tu *m'es* indispensable.
(Tu *es* indispensable *à moi.*)

N.B. — *Mets* **peut aussi être un nom.**

Ex.: Ce *mets* était délicieux.

Mon, m'ont

■ MON :

— Nature : déterminant possessif.

— Moyen de le reconnaître : **il est suivi d'un nom singulier.**

Ex. : As-tu vu *mon* chapeau?

Mon idée semblait lui plaire.

■ M'ONT :

— Nature : pronom personnel *m'* accompagné du verbe *avoir* à l'indicatif présent, à la 3e personne du pluriel.

— Moyen de le reconnaître : **on peut le remplacer par** *m'avaient.*

Ex. : Ils *m'ont* dit la vérité.
(Ils *m'avaient* dit...)

Elles *m'ont* envoyé une carte.
(Elles *m'avaient* envoyé...)

N.B. — *Mont* **est un nom.**

Ex. : J'ai pris deux heures pour escalader ce *mont.*

Ni, n'y, nie, nies, nient

■ NI :

— Nature : mot invariable (conjonction).

— Moyen de le reconnaître :

- **il est suivi d'un autre** *ni*;
- **les** *ni* **sont suivis d'éléments semblables.**

pronom pronom

Ex. : *Ni* toi *ni* moi ne l'avons vu faire.

nom nom

Je ne porte *ni* montre *ni* bague.

■ N'Y :

— Nature : contraction de *ne* et *y*.

— Moyen de le reconnaître :

- **il est suivi de** ... *pas*, ... *plus*, ... *rien*, ... *jamais*, etc.;
- **il est généralement suivi d'un verbe.**

Ex. : Je *n'y* pensais ***plus***, à ces racontars.

Si tu ne me crois pas, je *n'y* peux ***rien***.

■ NIE :

— Nature : verbe *nier* à l'indicatif présent ou au subjonctif présent, à la **1re** et à la **3e personne du singulier**, ou à l'impératif présent, à la **2e personne du singulier**.

— Moyen de le reconnaître :

- à l'indicatif présent, **on peut le remplacer par** *niais* ou *niait*;

• à l'impératif présent, **on peut le remplacer par** *niez.*

S 1re p.s.

Ex.: Je *nie* avoir dit cela.
(Je *niais* avoir...)

S 3e p.s.

Il *nie* avoir volé cette bicyclette.
(Il *niait* avoir...)

Si on te questionne, *nie* tout.
(Si on vous... *niez* tout).

■ NIES:

— Nature: verbe *nier* à l'indicatif présent ou au subjonctif présent, à la **2e personne du singulier**.

— Moyen de le reconnaître: à l'indicatif présent, **on peut le remplacer par** *niais.*

2e p.s. S

Ex.: *Nies*-tu avoir frappé cet enfant? (*Niais*-tu avoir...?)

■ NIENT:

— Nature: verbe *nier* à l'indicatif présent ou au subjonctif présent, à la **3e personne du pluriel**.

— Moyen de le reconnaître: à l'indicatif présent, **on peut le remplacer par** *niaient.*

S 3e p.p.

Ex.: Les athées *nient* l'existence de Dieu.
(Les athées *niaient*...)

N.B. — *Nid* **est un nom.**

Ex.: Des hirondelles ont construit leur *nid* sous la corniche.

On, on n', ont

■ ON:

— Nature: pronom indéfini.

— Moyen de le reconnaître: **on peut le remplacer par** *Léon.*

Ex.: *On* ira au cinéma.
(*Léon* ira...)

On a un examen à préparer.
(*Léon* a...)

■ ON N':

— Nature: pronom indéfini accompagné de l'adverbe de négation *n'*.

— Moyen de le reconnaître:

- **on peut remplacer** *on* **par** *Léon*;
- le *n'* indique une phrase négative et **il est suivi des mots** ... *pas*, ... *plus*, ... *jamais*, ... *rien*, etc.

Ex.: *On n'*a ***pas*** fini le travail.
(*Léon* n'a ***pas...***)

*On n'*espérait ***plus*** sa venue.
(*Léon* n'espérait ***plus***...)

■ ONT:

— Nature: verbe *avoir* à l'indicatif présent, à la 3e personne du pluriel.

— Moyen de le reconnaître: **on peut le remplacer par** *avaient.*

Ex.: Les enfants *ont* faim.
(Les enfants *avaient* faim.)

Ils *ont* marché deux heures.
(Ils *avaient* marché...)

N.B. — Le pronom indéfini *on* est toujours sujet et **il est toujours suivi d'un verbe à la 3e personne du singulier.**

Ou, où

■ OU:

— Nature: mot invariable (conjonction).

— Moyen de le reconnaître:

- il indique **un choix**, **une alternative**;
- **on peut le remplacer par** *ou bien.*

Ex.: Est-ce toi *ou* lui qui viendra?
(Est-ce toi *ou bien* lui qui...?)

Préfères-tu des patins *ou* des skis pour cadeau?
(Préfères-tu des patins *ou bien* des skis...?)

■ OÙ:

— Nature: adverbe ou pronom.

— Moyen de le reconnaître:

- il indique généralement **un lieu**, **un endroit**;
- **on ne peut pas le remplacer par** *ou bien.*

Ex.: *Où* est-il allé?
(On ne peut pas dire: *Ou bien* est-il allé?)

Je sais *où* il demeure.
(On ne peut pas dire: Je sais *ou bien* il demeure.)

Peu, peux, peut

■ PEU :

— Nature : mot invariable (adverbe de quantité).

— Moyen de le reconnaître : **on peut le remplacer par** *pas beaucoup* ou par *ne... pas beaucoup*.

Ex. : Je travaille *peu* depuis une semaine.
(Je *ne* travaille *pas beaucoup*...)

Peu de gens croyaient en lui.
(*Pas beaucoup* de gens...)

■ PEUX :

— Nature : verbe *pouvoir* à l'indicatif présent, à la **1re** et à la **2e personne du singulier**.

— Moyen de le reconnaître :

- **on peut le remplacer par** *pouvais*;
- **il est toujours accompagné de** *je* ou *tu*.

Ex. : Je *peux* réussir si je veux.
(Je *pouvais* réussir...)

Peux-tu aller le visiter?
(*Pouvais*-tu...?)

■ PEUT :

— Nature : verbe *pouvoir* à l'indicatif présent, à la **3e personne du singulier**.

— Moyen de le reconnaître : **on peut le remplacer par** *pouvait*.

Ex. : Ce mécanicien *peut* réparer ton moteur.
(Ce mécanicien *pouvait*...)

Peut-être, peut être

■ PEUT-ÊTRE :

— Nature : mot invariable (adverbe).

— Moyen de le reconnaître : **on peut le remplacer par** *probablement.*

Ex. : Jean est *peut-être* responsable de cet accident.
(Jean est *probablement* responsable...)

Peut-être n'a-t-il pas compris?
(*Probablement* n'a-t-il...?)

■ PEUT ÊTRE :

— Nature : verbe *pouvoir* à l'indicatif présent, à la 3e personne du singulier, accompagné du verbe *être.*

— Moyen de le reconnaître : **on peut le remplacer par** *pouvait être.*

Ex. : Ce citoyen *peut être* éligible au poste de maire.
(Ce citoyen *pouvait être* éligible...)

Marie *peut être* nommée à ce poste.
(Marie *pouvait être* nommée...)

Plutôt, plus tôt

■ PLUTÔT :

— Nature : mot invariable (adverbe).

— Moyen de le reconnaître : **on peut le remplacer par** *de préférence* ou par *assez.*

Ex. : Pourquoi n'irions-nous pas à Québec *plutôt* qu'à Montréal?
(Pourquoi n'irions-nous pas à Québec *de préférence* à...?)

Sa mère est *plutôt* sévère.
(Sa mère est *assez...*)

■ PLUS TÔT :

— Nature : mots invariables (adverbes).

— Moyen de le reconnaître : **on peut le remplacer par** *plus tard.*

Ex. : Jeanne est arrivée *plus tôt* à son rendez-vous.
(Jeanne est arrivée *plus tard* à...)

Plus tôt vous finirez ce travail, *plus tôt* vous partirez.
(*Plus tard* vous... *plus tard...*)

Prêt, près

■ PRÊT[1] :

— Nature: adjectif qualificatif.

— Moyen de le reconnaître:

- **on peut le remplacer par** *préparé*, *disposé*;
- **il est souvent suivi de la préposition** *à*.

Ex.: Ces étudiants étaient *prêts* à passer leur examen.
(Ces étudiants étaient *préparés* à...)

Je suis *prêt* à le recevoir.
(Je suis *disposé* à...)

N.B. — *Prêt* **peut aussi être un nom.**

Ex.: J'ai reçu un *prêt* de la Caisse populaire Saint-Luc.

■ PRÈS :

— Nature: mot invariable (adverbe ou préposition).

— Moyen de le reconnaître:

- **on peut le remplacer par** *proche* ou *sur le point*;
- **il est souvent suivi de la préposition** *de*.

Ex.: La mariée se tenait *près* de son père.
(La mariée se tenait *proche* de...)

Le soleil était *près* de se lever.
(Le soleil était *sur le point* de...)

---

1. *Prêt* varie en genre et en nombre avec le nom ou le pronom auquel il se rapporte.

Quand, quant, qu'en

■ QUAND:

— Nature: mot invariable (conjonction ou adverbe interrogatif).

— Moyen de le reconnaître: **on peut le remplacer par** *lorsque* ou *à quel moment.*

Ex.: Était-elle triste *quand* tu l'as vue?
(Était-elle triste *lorsque* tu...?)

Quand partirons-nous?
(*À quel moment* partirons-nous?)

■ QUANT:

— Nature: mot invariable (forme une locution prépositive avec *à*, *au* ou *aux*).

— Moyen de le reconnaître:

- **on peut le remplacer par** *pour ce qui est de*;
- **il est toujours suivi de** *à*, *au* ou *aux.*

Ex.: *Quant* à moi, mon choix est fait.
(*Pour ce qui est de* moi,...)

Quant aux employés, ils feront la grève.
(*Pour ce qui est des* employés....)

■ QU'EN:

— Nature: contraction de *que* et *en.*

— Moyen de le reconnaître :

- **on ne peut pas le remplacer par** *lorsque* ou *à quel moment*;
- **il n'est pas suivi de** *à*, *au* ou *aux*.

Ex. : *Qu'en* pense-t-elle, de ce projet?

Je ne réussis bien *qu'en* orthographe.

Quel, qu'elle

■ QUEL[1] :

— Nature : déterminant interrogatif ou exclamatif.

— Moyen de le reconnaître :

- **il est toujours suivi d'un nom ou du verbe *être* suivi d'un nom;**
- **un point d'interrogation ou d'exclamation ponctue généralement la phrase où il se trouve.**

Ex. : *Quel* jour sommes-nous?

Quelle croisière magnifique ce sera !

Quelles ***sont*** les raisons qu'il a invoquées?

■ QU'ELLE[2] :

— Nature : contraction de *que* et *elle.*

— Moyen de le reconnaître :

- **il est suivi d'un verbe;**
- **on peut le remplacer par** *qu'il.*

Ex. : Je veux *qu'elle* vienne me voir.
(Je veux *qu'il...*)

Je sais *qu'elle* ne démissionnera pas.
(Je sais *qu'il* ne...)

---

1. *Quel* varie en genre et en nombre avec le nom qu'il accompagne, d'où les formes suivantes : *quel, quels, quelle* ou *quelles.*
2. *Qu'elle* peut aussi se mettre au pluriel.

Qu'il, qui, qu'y

■ QU'IL[1] :

— Nature : contraction de *que* et *il.*

— Moyen de le reconnaître : **on peut le remplacer par** *qu'elle.*

Ex. : Marie demande *qu'il* lui téléphone.
(Marie demande *qu'elle* lui...)

Voici la date *qu'il* a proposée.
(Voici la date *qu'elle* a proposée.)

■ QUI :

— Nature : pronom interrogatif ou pronom relatif.

— Moyen de le reconnaître : **on ne peut pas le remplacer par** *qu'elle.*

Ex. : *Qui* lui achètera son gilet?
(On ne peut pas dire : *Qu'elle* lui achètera...)

Lisez ce livre *qui* traite de pollution.
(On ne peut pas dire : Lisez ce livre *qu'elle* traite...)

■ QU'Y :

— Nature : contraction de *que* et *y.*

— Moyen de le reconnaître : **on peut le remplacer par** *que* ou *qu'.*

Ex. : *Qu'y* direz-vous, à cette réunion?
(*Que* direz-vous...?)

À ce sujet, voici ce *qu'y* dit l'auteur.
(À..., voici ce *que* dit l'auteur.)

---

1. *Qu'il* peut aussi se mettre au pluriel.

Quoique, quoi que

■ QUOIQUE:

— Nature: mot invariable (conjonction).

— Moyen de le reconnaître: **on peut le remplacer par** *bien que*.

Ex.: Elle viendra *quoiqu'*elle soit grippée.
(Elle viendra *bien qu'*elle...)

Quoique Marcel ait de la difficulté, il réussit.
(*Bien que* Marcel...)

■ QUOI QUE:

— Nature: locution pronominale.

— Moyen de le reconnaître: **on peut le remplacer par** *quelle que soit la chose que*.

Ex.: *Quoi que* vous disiez, il fera à sa tête.
(*Quelle que soit la chose que* vous disiez,...)

Appliquez-vous *quoi que* vous fassiez.
(Appliquez-vous *quelle que soit la chose que* vous fassiez.)

Sa, ça

■ **SA:**

— Nature: déterminant possessif.

— Moyen de le reconnaître: **il est suivi d'un nom féminin singulier.**

Ex.: Il a vendu *sa* voiture.

A-t-elle oublié d'appeler *sa* mère?

■ **ÇA:**

— Nature: pronom démonstratif.

— Moyen de le reconnaître: **on peut le remplacer par** *cela.*

Ex.: *Ça* lui coûtera vingt dollars.
(*Cela* lui...)

Ne faites plus jamais *ça.*
(Ne faites... *cela.*)

Sans, s'en, sens, sent

■ **SANS:**

— Nature: mot invariable (préposition).

— Moyen de le reconnaître:

- il indique **l'absence, la privation, la négation;**
- **il est généralement suivi d'un nom ou d'un pronom;**
- **on peut le remplacer par** *privé de.*

Ex.: *Sans* sa volonté de vivre, il serait mort.
(*Privé de* sa volonté...)

Johanne est *sans* travail.
(Johanne est *privée de* travail.)

■ **S'EN:**

— Nature: contraction de *se* et *en.*

— Moyen de le reconnaître:

- **il est suivi d'un verbe;**
- *s'en* **devient** *m'en* à la **1re personne du singulier.**

Ex.: Il *s'en* ira bientôt.
(Je *m'en* irai...)

On *s'en* sortira, c'est certain.
(Je *m'en* sortirai...)

■ **SENS:**

— Nature: verbe *sentir* à l'indicatif présent, à la **1re** et à la **2e personne du singulier**, ou à l'impératif présent, à la **2e personne du singulier.**

— Moyen de le reconnaître:

- à l'indicatif présent, **on peut le remplacer par** *sentais*; **il est toujours accompagné de** *je* ou *tu*;
- à l'impératif présent, **on peut le remplacer par** *sentez*.

Ex.: Je me *sens* bien.
(Je me *sentais*...)

(Tu *sens* mauvais.)
(Tu *sentais* mauvais.)

Sens ces fleurs.
(*Sentez* ces...)

■ SENT:

— Nature: verbe *sentir* à l'indicatif présent, à la **3e personne du singulier**.

— Moyen de le reconnaître: **on peut le remplacer par** *sentait*.

Ex.: *Sent*-il la fumée? (*Sentait*-il...)

N.B. — *Sang* **est un nom**.

Ex.: J'ai participé à la collecte de *sang*.

— *Cent* **est un déterminant numéral**, il désigne donc un nombre.

Ex.: Mon grand-père aura *cent* ans l'année prochaine.

Si, s'y, -ci

■ SI:

— Nature: mot invariable (conjonction ou adverbe).

— Moyen de le reconnaître:

- quand *si* est conjonction, il indique une condition et **il est suivi d'un sujet et d'un verbe**;
- quand *si* est adverbe, **il est suivi d'un adjectif** ou **d'un adverbe** et **on peut le remplacer par** *tellement* ou *aussi*.

Ex.: *Si* tu veux, tu réussiras.

Elle est *si* aimable!
(Elle est *tellement* aimable!)

Ne travaillez pas *si* vite.
(Ne travaillez pas *aussi* vite.)

■ S'Y:

— Nature: contraction de *se* et *y*.

— Moyen de le reconnaître: **il est suivi d'un verbe.**

Ex.: Elles ne *s'y* rendront pas.

Cette amie *s'y* connaît en mécanique.

■ -CI:

— Nature: mot invariable (adverbe).

— Moyen de le reconnaître:

- **on peut le remplacer par** *-là*;

- **il est précédé d'un nom** ou **d'un pronom démonstratif.**

  Ex.: À qui appartient ce stylo-*ci*?
  (À qui... ce stylo-*là*?)

  Ne prenez pas celui-*ci*, car il est défectueux.
  (Ne prenez pas celui-*là*, car...)

N.B. — *Scie* **peut être un nom ou un verbe.**

Ex.: Cette *scie* est mal aiguisée.

L'ouvrier *scie* la planche.

Son, sont

■ SON :

— Nature: déterminant possessif.

— Moyen de le reconnaître: **il est suivi d'un nom singulier.**

Ex.: *Son* père ne l'avait pas reconnu.

J'aime *son* expression quand elle réfléchit.

■ SONT :

— Nature: verbe *être* à l'indicatif présent, à la 3e personne du pluriel.

— Moyen de le reconnaître: **on peut le remplacer par** *étaient.*

Ex.: Ses amis *sont* sympathiques.
(Ses amis *étaient*...)

Sont-elles arrivées tôt?
(*Étaient*-elles...?)

N.B. — *Son* **peut aussi être un nom.**

Ex.: Un *son* bizarre s'échappait de son instrument.

Ta, t'a

■ TA:

— Nature: déterminant possessif.

— Moyen de le reconnaître: **il est suivi d'un nom féminin singulier.**

Ex.: Apporte *ta* valise.

Ta sœur viendra-t-elle?

■ T'A:

— Nature: pronom personnel *t'* suivi du verbe *avoir* à l'indicatif présent, à la 3e personne du singulier.

— Moyen de le reconnaître: **on peut le remplacer par** *t'avait.*

Ex.: Il *t'a* souhaité bonne chance.
(Il *t'avait* souhaité...)

T'a-t-il forcé à le suivre?
(*T'avait*-il forcé... ?)

Ton, t'ont

■ TON :

— Nature : déterminant possessif.

— Moyen de le reconnaître : **il est suivi d'un nom singulier.**

Ex. : Il viendra avec *ton* auto.

Quel est *ton* animal préféré?

■ T'ONT :

— Nature : pronom personnel *t'* suivi du verbe *avoir* à l'indicatif présent, à la 3e personne du pluriel.

— Moyen de le reconnaître : **on peut le remplacer par** *t'avaient*.

Ex. : Tes amis *t'ont* donné un beau cadeau.
(Tes amis *t'avaient* donné...)

Ces gens ne *t'ont* jamais rien promis.
(Ces gens ne *t'avaient* jamais...)

N.B. — *Thon* **est un nom.**

Ex. : Ils mangeront du *thon* pour souper.

Homophonie de certains verbes du 1er groupe et de noms de même famille

Remarque. — Certains verbes du 1er groupe et certains noms masculins de même famille présentent parfois des ressemblances homophoniques.

Ex.: Un appui; j'appuie; tu appuies; etc.

■ MOYEN DE LES RECONNAÎTRE:

— **Les verbes**: ils se terminent par

- **-e** à l'indicatif présent ou au subjonctif présent, à la 1re et à la 3e personne du singulier; à l'impératif présent, à la 2e personne du singulier.

  Ex.: Je cri**e**; qu'il cri**e**; cri**e**.

- **-es** à l'indicatif présent ou au subjonctif présent, à la 2e personne du singulier.

  Ex.: Tu salu**es**; que tu salu**es**.

- **-ent** à l'indicatif présent ou au subjonctif présent, à la 3e personne du pluriel.

  Ex.: Ils clou**ent**; qu'ils clou**ent**.

— **Les noms**: ils se terminent par

- **-i** Ex.: Un cr**i**; un ennu**i**.
- **-ut** Ex.: Un sal**ut**; un substit**ut**.
- **-ou** Ex.: Un cl**ou**; un tr**ou**.

N.B. — Dans les formes homophoniques des verbes du 1er groupe et des noms masculins, seuls les verbes comportent un **e** en position finale.

Les verbes terminés par le son [é]

■ MOYEN DE LES RECONNAÎTRE :

— LES VERBES EN -ER :

- par substitution :
  remplacer le verbe en -er par un verbe du 2e ou du 3e groupe à l'infinitif.

  Ex. : Je veux travaill**er**. (Je veux *lire*.)

  Il est prêt à mang**er**. (Il est prêt à *sortir*.)

- par la présence des mots suivants :

  - **un verbe devant** le verbe en **-er**;

  Ex. : Je désire continu**er** mon voyage.

  - **une préposition** comme *à*, *de*, *d'*, *pour*, *sans* **devant le verbe.**

  Ex. : Il cherche à s'amélior**er**.

— LES VERBES EN -É :

- par substitution :
  remplacer le verbe en -é par un verbe du 2e ou du 3e groupe au participe passé.

  Ex. : Il est all**é** à l'épicerie. (Il est *parti...*)

  Tu as bien mang**é**. (Tu as bien *vécu...*)

- par la présence des mots suivants :

  - **les auxiliaires** *être* ou *avoir* **devant** le verbe en **-é**.

  Ex. : Elles ont visit**é** ce pays.

  Carl est tomb**é** de sa chaise.

— **LES VERBES EN -EZ:**

- par la présence du pronom *vous* **sujet**.

Ex.: Vous paier**ez** comptant.

Éti**ez**-vous là?

N.B. — À l'impératif, *vous* est sous-entendu.

Ex.: Sort**ez** de la classe.

— **LES VERBES EN -AI:**

- par la présence du pronom *je* ou *j'* **sujet**.

Ex.: Je découvrir**ai** la vérité.

Je l'épous**ai** il y a dix ans.

Tableau récapitulatif des homophones

Homophone	Règle
a	– On peut le remplacer par *avait*.
as	– On peut le remplacer par *avais*; le pronom *tu* est le sujet.
à	– On ne peut pas le remplacer par *avait*.
se	– Devant un verbe autre que le verbe *être*.
ce	– Dans tous les autres cas.
ces	– Devant un nom pluriel; sert à montrer quelqu'un ou quelque chose.
ses	– Devant un nom pluriel; sert à indiquer la possession.
s'est	– Devant un verbe au participe passé.
c'est	– Devant un mot autre qu'un nom pluriel ou un verbe.
sais	– On peut le remplacer par *savais*; les pronoms *je* et *tu* peuvent être sujets.
sait	– On peut le remplacer par *savait*.
d'en	– Devant un verbe à l'infinitif et dans quelques expressions.
dans	– Dans tous les autres cas.
dont	– Précédé d'un nom ou d'un pronom.
donc	– Souvent, on peut l'enlever de la phrase.
l'a	– On peut le remplacer par *l'avait*.
l'as	– On peut le remplacer par *l'avais*; le pronom *tu* est le sujet.
là	– On peut le remplacer par *ici*.
–là	– On peut le remplacer par *–ci*.
la	– Dans tous les autres cas.
leurs	– Devant un nom pluriel; parfois précédé de *les*.
leur	– Dans tous les autres cas.
ma	– Devant un nom féminin.
m'a	– On peut le remplacer par *m'avait*.
m'as	– On peut le remplacer par *m'avais*; le pronom *tu* est le sujet.
mais	– On peut le remplacer par *cependant*.
mes	– Devant un nom pluriel.
m'est	– On peut le remplacer par *est... à moi*.
m'es	– On peut le remplacer par *es... à moi*; le pronom *tu* est le sujet.
met	– On peut le remplacer par *mettait*.
mets	– On peut le remplacer par *mettais*; les pronoms *je* et *tu* peuvent être sujets.
	– On peut le remplacer par *mettez*.
mon	– Devant un nom singulier.
m'ont	– On peut le remplacer par *m'avaient*.
ni	– Suivi d'un autre *ni* dans la phrase.
n'y	– Devant un verbe dans une phrase négative.
nie	– On peut le remplacer par *niais* ou *niait*.
	– On peut le remplacer par *niez*.
nies	– On peut le remplacer par *niais*; le pronom *tu* est le sujet.
nient	– On peut le remplacer par *niaient*.
on	– On peut le remplacer par *Léon*.
on n'	– On peut le remplacer par *Léon*; s'emploie dans une phrase négative.
ont	– On peut le remplacer par *avaient*.

ou	– On peut le remplacer par *ou bien*.
où	– On ne peut pas le remplacer par *ou bien*.
peu	– On peut le remplacer par *pas beaucoup*.
peut	– On peut le remplacer par *pouvait*.
peux	– On peut le remplacer par *pouvais*; les pronoms *je* et *tu* peuvent être sujets.
peut-être	– On peut le remplacer par *probablement*.
peut être	– On peut le remplacer par *pouvait être*.
plutôt	– On peut le remplacer par *de préférence*.
plus tôt	– On peut le remplacer par *plus tard*.
prêt	– On peut le remplacer par *préparé*, *disposé*; souvent suivi de *à*.
près	– On peut le remplacer par *proche* ou *sur le point*; souvent suivi de *de*.
quand	– On peut le remplacer par *lorsque* ou par *à quel moment*.
quant	– Toujours suivi de *à*, *au* ou *aux*.
qu'en	– Dans tous les autres cas.
qu'elle	– On peut le remplacer par *qu'il*.
quel	– On ne peut pas le remplacer par *qu'il*.
qui	– On ne peut pas le remplacer par *qu'elle*.
qu'il	– On peut le remplacer par *qu'elle*.
qu'y	– On peut le remplacer par *que* ou *qu'*.
quoique	– On peut le remplacer par *bien que*.
quoi que	– On peut le remplacer par *quelle que soit la chose que*.
sa	– Devant un nom féminin.
ça	– On peut le remplacer par *cela*.
sans	– On peut le remplacer par *privé de*.
s'en	– Devant un verbe.
sens	– On peut le remplacer par *sentais*; les pronoms *je* et *tu* peuvent être sujets. – On peut le remplacer par *sentez*.
sent	– On peut le remplacer par *sentait*.
s'y	– Devant un verbe.
–ci	– On peut le remplacer par *–là*.
si	– Dans tous les autres cas.
son	– Devant un nom singulier.
sont	– On peut le remplacer par *étaient*.
ta	– Devant un nom féminin singulier.
t'a	– On peut le remplacer par *t'avait*.
ton	– Devant un nom singulier.
t'ont	– On peut le remplacer par *t'avaient*.

Index

A

C

D

E

F

G

H

I

L

M

N

O

P

V

Achevé d'imprimer
en l'an mil neuf cent quatre-vingt-treize
sur les presses des ateliers Guérin,
Montréal (Québec)

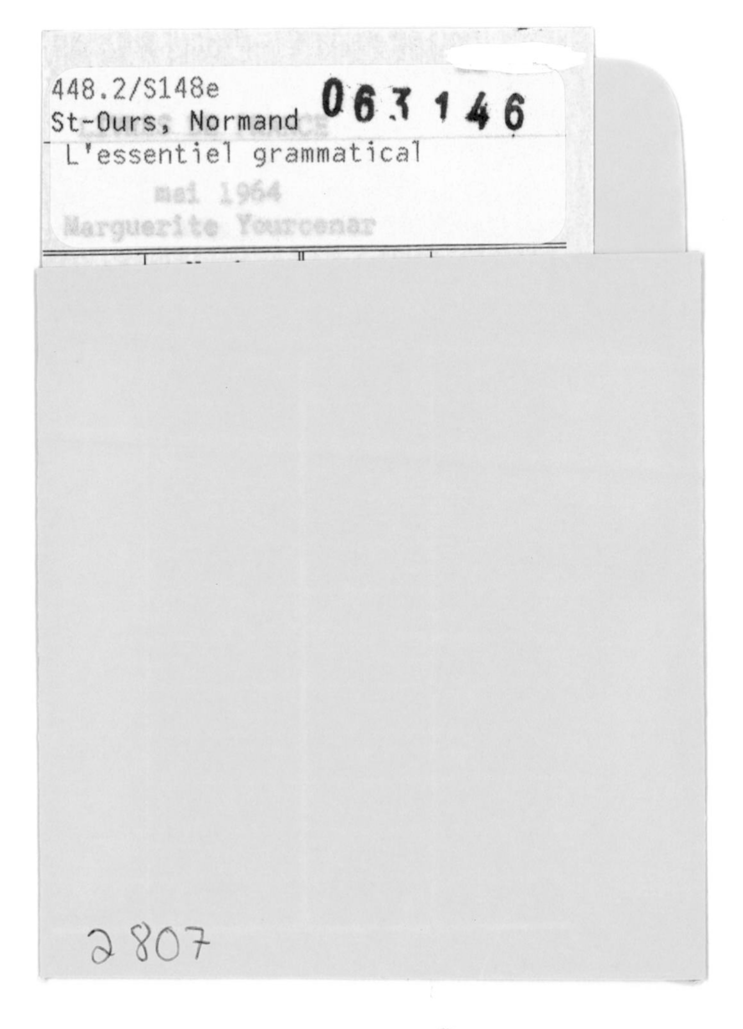
448.2/S148e
St-Ours, Normand
063146
L'essentiel grammatical
2807